CE JOURNAL APPARTIENT À
Nikki J. Maxwell
PERSONNEL & CONFIDENTIEL
Si vous le trouvez, SVP retournez-le-moi.
Récompense offerte !
INTERDICTION DE MATER !! ☹

REMERCIEMENTS

Un grand merci à tous mes merveilleux – et nombreux – fans du JOURNAL D'UNE GROSSE NOUILLE, qui ont accueilli si chaleureusement cette série. Et rappelez-vous : il y a une grosse nouille en chacun d'entre vous !

Merci à Liesa Abrams, ma géniale éditrice, pour l'enthousiasme et l'énergie sans bornes qu'elle a montrés à l'occasion de la publication des trois tomes du JOURNAL D'UNE GROSSE NOUILLE. Je suis tellement heureuse d'avoir embarqué pour ce fabuleux voyage avec l'ado qui est en toi !

Merci à Lisa Vega, ma très dévouée directrice artistique, pour son travail acharné et sa créativité – surtout lors de ces longues nuits blanches au bureau.

Merci à Mara Anastas, Bethany Buck, Bess Braswell, Paul Chrichton et toute la merveilleuse équipe d'Aladdin / Simon & Schuster, pour avoir cru en ce JOURNAL.

Merci à Daniel Lazar, mon incroyable agent de Writers House, pour tout ce qu'il est : agent, ami, conseiller, coach, fan et même psy. Grâce à toi, mon rêve le plus fou est devenu réalité. Un merci spécial aussi à Stephen Barr pour ces e-mails complètement dingues qui m'ont fait rire aux larmes.

Merci à Maja Nikolic, Cecilia de la Campa et Angharad Kowal, qui gèrent mes droits étrangers, pour avoir offert au JOURNAL D'UNE GROSSE NOUILLE un public international.

Merci à Nikki Russell, ma fille et très talentueuse assistante, pour son travail acharné. Sans toi, rien de tout cela n'aurait existé et je n'ai pas assez de mots pour t'exprimer ma gratitude. Je suis si HEUREUSE d'être ta maman !

Merci à Sydney James, Cori James, Ariana Robinson et Mikayla Robinson, mes nièces adolescentes, qui sont aussi mes premières – et plus sévères – critiques. Avant même qu'ils existent, elles ont su repérer les passages les plus « cool » de mon texte.

Rachel Renée Russell

Traduit de l'américain par Virginie Cantin

À ma mère, Doris

Merci d'être TOUJOURS là pour moi

VENDREDI 11 OCTOBRE

J'y crois pas!

Je suis dans les toilettes des filles
et je STRESSE COMME UNE OUF!!

Je ne supporterai JAMAIS le collège!

Je viens de me ridiculiser devant mon amour secret.
UNE FOIS DE PLUS! ☹

Et comme si ça ne suffisait pas, mon casier est toujours
juste à côté de celui de Hollister Mackenzie! ☹

Qui, soit dit en passant, est la fille la plus appréciée de tout
le collège Westchester Country Day et qui se la PÈTE
À MORT. C'est une vraie teigne, et encore, je suis gentille!

C'est un REQUIN TUEUR aux ongles peints, qui porte
des jeans de créateurs et des Skechers plateforme.

Mais pour une étrange raison, tout le monde l'ADORE.

MacKenzie et moi, on ne s'entend pas DU TOUT.

Je suppose que c'est surtout dû au fait

qu'ELLE ME DÉTESTE ! ☹

Elle n'arrête pas de déblatérer derrière mon dos et de dire des trucs super méchants, genre que je n'ai aucun sens du « staïle » et que Larry le lézard, la mascotte de notre collège, est mieux fringué que moi.

Ce qui est peut-être vrai... mais QUAND MÊME !

Je ne SUPPORTE pas que cette meuf BAVE sur ma vie privée.

Ce matin, elle a été encore plus vicieuse que d'habitude.

J'en reviens PAS qu'elle ait pu me sortir un truc pareil !

Je veux dire : comment une COULEUR peut-elle jurer avec une SAVEUR ? N'importe quoi ! Il s'agit de deux... choses totalement DIFFÉRENTES, non ?

Alors j'ai pété un câble et je me suis mise à crier : « Désolée, Mackenzie, mais je suis SUPER occupée, là. Ça te dérange si je t'IGNORE complètement ? »

Mais j'ai dit tout ça dans ma tête, et personne d'autre que moi n'a entendu.

Et pour ajouter encore à ce SUPPLICE, la soirée Halloween a lieu dans trois semaines !

Au collège, c'est le plus grand événement de l'automne, et chacun se demande qui va y aller avec qui.

Je serais FOLLE de joie si mon amour secret,

me demandait de l'accompagner !

Hier, c'est à MOI qu'il a demandé d'être son binôme au TP de bio !

J'étais si excitée que j'ai fait ma « danse du bonheur » toute seule.

Aujourd'hui, j'ai eu le pressentiment que Brandon allait me poser « LA » question sur la soirée Halloween.

La journée m'a paru INTERMINABLE.

En SVT, j'étais sur les nerfs.

Soudain, une question troublante a surgi dans ma tête et j'ai commencé à paniquer : Et si Brandon me considérait comme son binôme de labo, et RIEN DE PLUS ?

C'est alors que j'ai décidé de l'impressionner par mon charme, mon esprit et mon intelligence.

Je lui ai fait un grand sourire et je me suis tout de suite remise à dessiner ces minuscules petites choses que je voyais dans le microscope et qui ressemblent à des bouts de fil.

Du coin de l'œil, j'observais Brandon, qui me dévisageait de son étrange regard, à la fois insistant et perplexe.

Manifestement, il voulait me parler de quelque chose de SUPER sérieux…! ☺

Ainsi, les trucs que j'avais vus dans le microscope étaient VRAIMENT des bouts de fil ! OMG ! Je me suis sentie TROP MAL !

J'ai compris tout de suite que j'avais gâché ma dernière chance d'être invitée par Brandon.

Mais la bonne nouvelle, c'était que je venais de faire une découverte scientifique majeure concernant la biogénétique de mon cerveau, découverte que l'on pourrait réduire à cette unique formule :

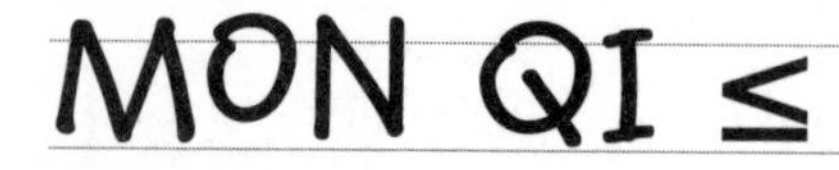

chaussette de tennis sale

Et ce n'était pas fini...

J'étais dans les toilettes des filles quand j'ai surpris une conversation entre MacKenzie et ses copines. Elle prétendait être sûre à 99,9 % que Brandon lui demanderait d'aller à la soirée avec lui et qu'ils danseraient tous les deux comme Edward et Bella dans *Twilight*.

J'étais TRÈS déçue, mais pas du tout surprise. Je veux dire : POURQUOI Brandon inviterait-il une méga-nouille dans mon genre alors qu'il peut sortir avec une meuf comme MacKenzie, membre du CCC (le Club des filles Canon et super Cool) ?

Et tu sais quoi encore ?! En partant, MacKenzie a dit en ricanant qu'elle allait s'acheter un nouveau gloss, rien que pour Brandon. J'ai compris tout de suite ce que ça voulait dire.

J'étais furieuse contre moi-même et super frustrée.

J'ai attendu que les toilettes soient vides pour pousser un grand CRI.

Ce qui, si étrange que ça puisse paraître, me fait toujours beaucoup de bien. ☺

Le collège peut constituer une expérience très **TRAUMATISANTE**, c'est indéniable !

Mais il y a une règle d'or à respecter : ne jamais perdre son calme et tenter de résoudre ses problèmes personnels avec maturité et discrétion.

MOI, EN TRAIN DE ME LÂCHER TOUTE SEULE !

SAMEDI 12 OCTOBRE

Aujourd'hui a été la journée la plus TOP de toute ma vie !

J'y crois pas ! Je viens de recevoir le premier prix du concours d'art contemporain organisé par mon collège, ainsi que 500 $! ☺

La semaine dernière, sans même me prévenir, Chloë, Zoey et Brandon ont pris des clichés des tatouages que j'avais créés pour quelques camarades du collège.

J'étais SUPER HEUREUSE quand j'ai appris que j'avais gagné ! Qui aurait cru que je battrais MacKenzie et ses magnifiques dessins de mode ?

Et je peux te dire qu'elle était vexée ! Surtout après avoir crié sur tous les toits qu'elle allait remporter la victoire !

J'ai hâte de toucher tout cet argent.

J'ai d'abord pensé l'utiliser pour m'offrir un portable, puis j'ai décidé qu'il serait plus prudent de le garder pour mon séjour artistique de l'été prochain.

J'investis dans mon rêve : devenir une artiste pour pouvoir me prélasser dans mon lit, écouter mon DJ favori et griffonner dans mon carnet de croquis – et en étant accessoirement payée pour ça. Cool!

Quand même, ce serait cool d'utiliser l'argent de mon prix pour réparer mon casier tout pourri.

En plus, ça me permettrait de me la péter auprès de la bande du CCC.

En tout cas, aujourd'hui, presque tout le collège était présent à la cérémonie de remise des prix du concours d'art.

J'ai été scotchée quand MacKenzie s'est approchée de moi et m'a serrée dans ses bras.

Je crois qu'elle a fait ça juste pour avoir l'air d'être bonne perdante, parce que ce qu'elle m'a dit n'avait rien de sportif.

« Nikki chérie ! Félicitations pour ta victoire ! Si j'avais su que le jury appréciait la daube, j'aurais étalé le vomi de mon caniche sur une toile, je l'aurais mis sous verre et je l'aurais présenté comme de l'art abstrait ! »

OMG ! J'en reviens pas qu'elle ait osé me dire ça en face !

Elle aurait mieux fait de se gribouiller

« JE CRÈVE DE JALOUSIE »

au marqueur noir sur le front, ça aurait été plus discret !

Moi, j'ai répondu : « Merci, MacKenzie. T'es vraiment une gamine, toi ! Vas-y, pleure un bon coup et passe à autre chose ! »

Mais j'ai dit tout ça dans ma tête, et personne d'autre que moi ne l'a entendu. Il faut croire que, dans le fond, je suis une gentille fille qui n'aime pas les mauvaises vibrations.

En tout cas, à aucun moment je ne me suis sentie intimidée devant elle. Jamais !

Pendant le dîner, j'étais entourée de Chloë et Zoey.

Et, comme d'habitude, nous nous sommes comportées comme des débiles et nous avons piqué plusieurs fous rires.

Quand Brandon est venu prendre une photo de moi pour le journal du collège et pour le livre d'or, j'ai cru que j'allais MOURIR !

Il m'a suggéré d'aller dans le hall pour avoir une meilleure lumière.

Au début, j'étais si nerveuse que j'étais contente que Chloë et Zoey proposent de nous accompagner.

Mais pendant tout le temps qu'il prenait ses photos, elles n'ont pas arrêté de m'envoyer des baisers et de jouer les raides dingues amoureuses.

OMG ! J'étais SUPER GÊNÉE !!!

J'étais si vénère que j'aurais voulu les attraper toutes les deux par le cou et serrer jusqu'à ce que leurs petites têtes explosent.

Mais au lieu de ça, j'ai serré les dents et prié pour que Brandon ne les voie pas ricaner derrière son dos comme ça.

Chloë et Zoey sont des amies super gentilles et très sympas mais parfois, j'ai plus l'impression d'être leur *baby-sitter* que leur MAV (Meilleure Amie pour la Vie).

Heureusement pour moi, dès qu'on a annoncé que le dessert était servi, elles se sont précipitées vers le buffet pour se goinfrer.

Ce qui fait que Brandon et moi nous sommes retrouvés seuls !

Très vite, un léger malaise s'est installé parce que, au lieu de parler, nous nous sommes regardés, puis nous avons regardé par terre, puis nous nous sommes regardés de nouveau, puis nous avons regardé par terre, et ainsi de suite...

Ça a continué pendant une ÉTERNITÉ !

Puis, ENFIN, Brandon a secoué sa frange en bataille et a posé sur moi un regard timide : « Je t'avais bien dit que tu gagnerais. Félicitations ! »

J'ai planté mes yeux dans les siens et mon cœur s'est mis à *battre* si fort que mes orteils en tremblaient. Comme quand ma chanson préférée passe à fond dans une voiture aux vitres fermées : je ne comprends pas les paroles, mais je perçois très *bien* les vibrations des *basses* : *badaboum-boum* ! *Badaboum-boum* !

Soudain, j'ai eu l'impression qu'une armée de papillons à la fois féroces et très délicats envahissaient mon ventre.

J'ai tout de suite compris que j'étais victime d'une attaque de SGH, ou Syndrome du Grand Huit.

Alors, je me suis concentrée au maximum et, de toutes mes forces, j'ai essayé de ne pas hurler : YOUPIIIIIIIII !!!

J'ai réussi, mais au bout du compte, j'ai sorti quelque chose de bien pire : « Merci, Brandon. Euh... t'as goûté ces petites ailes de poulet sauce barbecue ? Elles sont délicieuses ! »

« Des ailes de poulet ? Non, je n'y ai pas goûté. »

« Eh bien, tu devrais... »

« Je... voulais te demander un truc... »

« À propos des ailes de poulet ? »

Brandon avait l'air tellement sérieux.

« Non, en fait, je voulais te demander si tu... »

J'ai retenu mon souffle, suspendue à ses lèvres.

« Je veux dire... ce serait super cool si tu pouvais... »

« BRANDON ! Ah, tu es là !! OMG !
Je t'ai cherché partout ! »

MacKenzie a fait irruption dans la pièce et a marché droit vers Brandon : « En tant que photographe officiel, il faut vraiment que tu prennes un cliché de moi à côté des dessins de ma collection intitulée "Toujours au top". Ils sont en train de démonter l'expo ! »

Puis elle s'est plantée là et a commencé à sourire à Brandon en lui faisant les YEUX DOUX et en enroulant une mèche autour de son doigt – ce qui avait tout d'une tentative DÉSESPÉRÉE de l'HYPNOTISER pour qu'il tombe dans son piège DIABOLIQUE.

« Brandon, je t'en prie, dépêche-toi ! Avant qu'il ne soit trop tard ! » a-t-elle gémi, hors d'haleine, tout en me lançant des regards de dégoût, comme si j'étais une énorme crotte de nez qui venait de jaillir de sa narine.

Brandon a levé les yeux au ciel en soupirant, puis m'a gratifiée d'un regard un peu bizarre mais super mignon.

« Bon… à plus tard, Nikki, d'accord ? »

« OK, à plus. »

En regagnant la table du dîner, j'avais très mal à la tête et un peu envie de vomir.

Mais ce n'était pas DÉSAGRÉABLE du tout !

Et, surtout, je brûlais de curiosité.

Brandon était sur le point de me demander quelque chose quand MacKenzie l'avait interrompu de façon tout à fait malpolie.

Ce qui me laissait avec cette question à la fois évidente et implacable :

POURQUOI SUIS-JE AUSSI DÉBILE ??!!

Des ailes de poulet? J'y croyais pas! Comment avais-je pu délirer sur des ailes de poulet! C'était plutôt moi, le boulet!

Pas étonnant qu'il ne m'ait pas invitée à la soirée Halloween.

Mais au moins, ma photo était parfaite!

BRANDON est un photographe de GÉNIE!

DIMANCHE 13 OCTOBRE

Je suis d'une humeur MASSACRANTE en ce moment ! J'ai super la trouille d'aller au collège demain.

Si j'entends une seule fille reparler de cette ridicule histoire de soirée, je vais me mettre à HURLER !!! Je continue d'espérer que quelqu'un va m'inviter, mais je SAIS que ça ne se produira pas.

Ce qu'il me faut, c'est une POTION MAGIQUE ou un truc du genre !

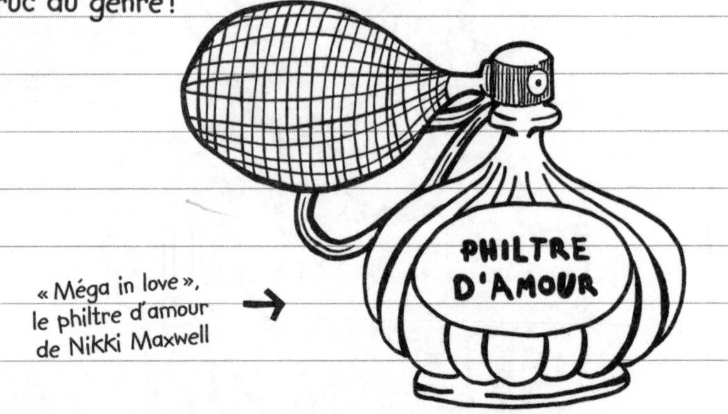

J'en aspergerais Brandon, car c'est le seul moyen pour qu'il s'intéresse un jour à une GROSSE NOUILLE dans mon genre.

Ensuite, je donnerais la formule à toutes les filles qui, à travers le monde, ont le même problème que moi.

Juste un « pschit » et le garçon de vos rêves tombera éperdument amoureux de la première personne qu'il verra !

PHILTRE D'AMOUR « MÉGA IN LOVE » !!
POUR QUE CHAQUE FILLE PUISSE VIVRE
UNE PASSION ÉTERNELLE
AVEC LE GARÇON DE SES RÊVES !!

... OU **NON !!**

«WAOUH ! MADAME HOPPER ! VOTRE FILET À CHEVEUX EST... SUPER SEXY ! ET J'ADORE VOTRE RAGOÛT ! »

Bon, d'accord, mon idée de philtre d'amour n'est peut-être pas aussi **GÉNIALE** que ça !

MA VIE EST LAMENTABLE !

Ce soir, Maman et ma petite sœur Brianna ont commencé à décorer la maison pour Halloween.

Je savais ce qui allait suivre car c'est tous les ans la même chose.

Brianna fourre son nez partout et essaye de faire peur à tout le monde avec sa ridicule araignée en plastique.

C'est presque une tradition dans la famille Maxwell. Papa et Maman en font toujours des tonnes et font semblant d'être effrayés. Et Brianna adore ça, bien sûr...

Personnellement, je ne crois pas que ce soit bon de l'encourager de la sorte. Que se passera-t-il quand elle grandira et qu'elle ira au collège ?

En fait, je le SAIS déjà : Brianna emportera son araignée en plastique au collège et la secouera sous le nez des gens, parce qu'elle est persuadée que ça se fait.

Et tous ses copains d'école la prendront pour une OUF!

Ça me compliquera la vie car je serai obligée de changer de nom pour que personne ne sache que c'est ma sœur.

Il faut que mes parents comprennent qu'élever une enfant sensible comme Brianna est une grande responsabilité.

Bref... J'étais en haut, dans ma chambre, en train de réviser mon interro de français. J'étais pas franchement de bonne humeur parce que j'avais du mal à me rappeler quels noms étaient féminins ou masculins en français.

Et, comme prévu, Brianna a surgi au pire moment.

J'AI FLIPPÉ COMME UNE MALADE !

Et cette pauvre araignée avait l'air un peu traumatisée, elle aussi.

BRIANNA, elle, trouvait tout ça super marrant.

Ha ha ha, Brianna !!!

Je me demande comment j'ai pu confondre une véritable araignée avec celle de Brianna.

La sienne est rouge foncé avec des cœurs roses. Elle porte des *baskets* montantes et a un sourire niais. C'est le genre d'araignée qu'on s'attend à trouver dans la maison de Barbie ou dans un épisode de « Bob l'Éponge ».

Après ça, comment veux-tu que je réussisse mon interro de français ?

Je vais me PLANTER, c'est sûr ! ☹

LUNDI 14 OCTOBRE

En arrivant au collège ce matin, j'ai eu la surprise de trouver un mot de Chloë et Zoey sur mon casier :

NIKKI,
DEVINE QUI VA À LA SOIRÉE HALLOWEEN?!
RENDEZ-VOUS AU LOCAL DE SERVICE, TOUT DE SUITE!
CHLOË ET ZOEY

Le local de service est notre refuge secret.

On s'y retrouve pour discuter de sujets PERSONNELS et HAUTEMENT CONFIDENTIELS.

Dès que je suis entrée, j'ai vu que Chloë et Zoey étaient surexcitées.

« Devine qui va à la soirée Halloween ? » a lancé Zoey, toute folle.

« Euh... sais pas. QUI ÇA ? »

J'étais sûre qu'il ne s'agissait pas de l'une d'entre nous. Nous sommes les trois plus grosses nouilles de tout le collège.

« C'EST NOUS ! T'Y CROIS ? » a hurlé Chloë en sautant partout et en agitant les mains dans tous les sens.

« Et on a déjà trouvé trois mecs pour nous accompagner ! Enfin presque... » a crié Zoey.

« Presque ? Qu'est-ce que ça veut dire, presque ? »

Tout à coup, je ne la sentais pas du tout, cette histoire de mecs.

C'est alors que Chloë et Zoey ont commencé à m'expliquer leur plan délirant pour être accompagnées à la soirée Halloween.

Alors voici l'idée, en cinq points :

ÉTAPE N° 1 : se porter volontaires pour faire partie de l'équipe de nettoyage spéciale « Soirée Halloween ».

ÉTAPE N° 2 : arriver sur place une demi-heure à l'avance et faire semblant d'être là pour vérifier la propreté des lieux. En profiter pour enfiler nos super-costumes.

ÉTAPE N° 3 : faire rapidement courir la rumeur que les trois mecs super canon qui se trouvent sur scène sont NOS mecs (même si ce n'est ABSOLUMENT pas le cas).

ÉTAPE N° 4 : comme le groupe doit rester sur scène pendant TOUTE la soirée, nous, les trois filles, on pourra danser, manger et s'amuser ensemble.

ÉTAPE N° 5 : on s'éclatera comme des FOLLES pendant que tout le monde (même les CCC) s'extasiera sur nos mecs SUPER canon, SUPER talentueux, SUPER stars...

Ce plan était PRESQUE aussi loufoque que celui qui consistait à fuguer pour vivre dans les tunnels secrets situés sous la Grande Bibliothèque de New York City.

Je leur ai dit qu'il y avait peu de chances pour qu'elles arrivent à faire croire qu'on était avec les membres du groupe.

Mais ça dépendra surtout de la tête des musiciens en question.

MUSICIENS COOL ET CANON

ESPÈCES DE PUNKS CRADOS ET SUPER CHELOUS

Le plus dangereux, dans cette histoire, c'est que tout peut se retourner contre nous et ruiner notre réputation.

Ce qui n'est pas vraiment souhaitable, vu que notre cote de popularité parmi les CCC du Westchester est à un niveau dramatiquement bas.

Voici un tableau des personnes les moins appréciées de tout le collège :

INDICE DE POPULARITÉ DES CCC DU WESTCHESTER COUNTRY DAY

1. Violet Baker
2. Théodore L. Swagmire III
3. Zoey Franklin
4. L'homme d'entretien
5. Chloë Garcia
6. La dame de la cantine
7. Larry le lézard (mascotte du collège)
8. Nikki Maxwell
9. Moisissure gluante (qui prolifère dans les douches des vestiaires)

Comme le risque était élevé que je passe en dernière position (derrière la moisissure gluante), il fallait absolument trouver une meilleure idée.

J'ai proposé que chacune de nous se fabrique un costume bon marché et pourtant très original : un grand sac-poubelle vert plein de vieux journaux, pour se déguiser en... – roulement de tambour...

SACS À M... !!!

C'est sympa comme idée, non ?!

Surtout pour des membres de l'équipe de nettoyage...

Il nous faudrait aussi une paire de gants en caoutchouc jaunes.

Rien qu'à l'idée de tous les germes qui doivent traîner partout après ce genre de méga-soirée, j'en ai la chair de poule.

Beurkkk !

Sans mecs pour nous accompagner, nous pourrions passer toute la nuit à danser sur des super-trucs genre comédie musicale avec des balais, des brosses et des nettoyeurs vapeur en guise de partenaires.

Personnellement, je trouvais mon plan TOUT SIMPLEMENT GÉNIAL !

Mais Chloë et Zoey n'étaient pas de mon avis : « Ne le prends pas mal, Nikki, mais ton idée est… disons… assez NULLE. »

Évidemment, ce petit commentaire m'a vraiment énervée.

« D'accord, les filles ! Vous voulez savoir ce que je trouve NUL, moi ? Eh bien, par exemple, le fait de se pointer à la soirée Halloween déguisées en femmes de ménage et de faire croire à tout le monde qu'on sort avec les musiciens ! »

Chloë et Zoey n'ont plus dit un mot et se sont contentées de fixer sur moi leurs regards de chiens battus.

Et, évidemment, elles m'ont fait de la peine car je savais à quel point elles voulaient participer à cette soirée.

Alors, comme je suis une amie attentionnée et sympa, j'ai décidé de mettre de côté mes opinions personnelles et d'accepter ce plan d'« équipe de nettoyage dansante ».

Je considère ça comme un petit sacrifice, destiné à entretenir une amitié sincère et durable.

Les feuilles d'inscription pour l'organisation de la soirée Halloween étaient placardées sur le tableau d'affichage, à côté du bureau de la vie scolaire.

Heureusement pour nous, personne ne s'était encore inscrit pour faire partie de l'équipe nettoyage.

Mais ce qui me préoccupait vraiment, c'était la feuille d'inscription des candidats au poste de « Président » du comité d'organisation de la soirée Halloween.

Pour une raison étrange, la plupart des noms qui figuraient sur la liste avaient été barrés.

Ce qui signifiait qu'il ne restait plus que trois candidats possibles ! ☹

POURVU, POURVU que Violet Baker ou Théodore L. Swagmire III soit sélectionné(e) pour présider la manifestation.

Sinon, cette histoire d'équipe de nettoyage risquait de tourner au

CAUCHEMAR absolu !

MARDI 15 OCTOBRE

J'ADORE la cinquième heure de cours parce que Chloë, Zoey et moi nous retrouvons pour jouer les assistantes à la bibliothèque scolaire, ou ABS.

Certains collégiens pensent que la bibliothèque est un endroit calme et ennuyeux, où il n'y a que des intellos et des grosses nouilles, mais nous, on s'y ÉCLATE comme des OUFS !

NOUS CLASSONS LES LIVRES DANS LES RAYONNAGES.

NOUS RÉPONDONS AU TÉLÉPHONE.

NOUS METTONS DE NOUVEAUX MAGAZINES À LA DISPOSITION DES LECTEURS.

NOUS DÉLIVRONS LES JETONS POUR LES TOILETTES.

La bibliothécaire, Mme Peach, est super sympa. Le vendredi, elle nous fait des cookies noix-chocolat hyper bons. Miam !

J'ai été un peu surprise, aujourd'hui, quand Mme Peach m'a donné un mot me priant de me rendre immédiatement au bureau.

Mes parents m'y attendaient. Ils venaient me chercher plus tôt pour que je puisse assister à l'enterrement de M. Wilbur Blatte, un homme d'affaires à la retraite, ancien président de l'Association des exterminateurs de Westchester.

Je n'arrivais pas à croire que Blatte était son VRAI nom. Le pauvre !

Mes parents ne l'ont jamais rencontré, et moi non plus. Mais comme de nombreux exterminateurs venus de toute la région devaient assister à l'enterrement avec leur famille, Papa a pensé que ce serait une bonne idée que nous soyons présents, nous aussi.

SUPER, VRAIMENT ! ☹ Et comme si ça ne suffisait pas, mon père nous a infligé pendant le trajet aller ET retour son triple CD « Le top du disco » !

Au trente-neuvième passage consécutif de « Bouge ton corps, *baby* », j'ai eu envie de sauter par la fenêtre de la voiture !

« Bouge ton corps, *baby*, bouge ton corps, oh yeah ! »...
Et ça continue comme ça 1962 fois jusqu'à la fin de la chanson.

Tout ça m'a traumatisée. En plus, j'avais le hoquet, un hoquet super bruyant qui m'énervait beaucoup.

Pendant la cérémonie, Maman n'arrêtait pas de me lancer des regards sévères, comme si je le faisais exprès. Mais franchement, ce n'était pas ma faute, et je n'y pouvais rien.

M. Hubert Dinkle, qui était en train de prononcer l'oraison funèbre, est resté soudain sans voix. Maman a dit que c'était l'émotion, parce que Wilbur Blatte était son meilleur ami.

Je pense que mes hoquets ont dû lui taper sur les nerfs parce qu'il s'est arrêté en plein milieu d'une phrase et m'a fusillée du regard avant d'émettre une sorte de râle.

Je suis sérieuse. C'est certainement contre moi qu'il râlait !

Mes hoquets rendaient tout le monde dingue.

Je m'attendais à voir Wilbur Blatte se redresser dans son cercueil pour me remettre à ma place !

Je dois dire que ça, ça m'aurait vraiment fait flipper ! Surtout qu'il est quand même censé être vraiment... MORT!!!!

En tout cas, comme mes hoquets se faisaient de plus en plus sonores, M. Dinkle a pété les plombs.

Il m'a fait méga PEUR, puis m'a fait boire un grand verre d'eau devant tout le monde. Et – MIRACLE ! – mon hoquet s'est arrêté, ce qui était une bonne chose ! ☺

Je me suis toujours demandé pourquoi on posait une carafe d'eau près du pupitre, pendant les discours.

Qui aurait pensé que c'était pour résoudre un cas aigu et urgent de hoquet ?!

Après tout ce cirque, je suis certaine que Papa et Maman ne sont pas près de me faire assister à une autre cérémonie de ce genre.

Merci, mon Dieu !

Mais il y a quand même une chose qui m'inquiète : comme M. Dinkle est super vieux et qu'il joue de temps en temps de l'orgue à l'église, il n'est pas impossible que je le revoie un jour, par hasard.

Et ce jour-là, c'est sûr, il essaiera de se venger parce que je lui ai gâché son discours.

LA VENGEANCE DE M. DINKLE

MERCREDI 16 OCTOBRE

OMG!

Je n'ai jamais autant ri de toute ma vie!

Ma mère s'était levée de bonne heure ce matin
pour essayer des cosmétiques maison et des techniques
de relaxation qu'elle avait vues à la télévision.

Elle s'était étalé un masque à la farine d'avoine sur le visage
et protégé les yeux avec des rondelles de concombre.
Et elle avait éteint toutes les lumières du salon
pour méditer sur le sens de sa vie.

En tout cas, c'est ce qu'elle dit, mais moi j'ai plutôt eu
l'impression qu'elle était en train de ronfler dans son fauteuil.

À un moment, Papa a allumé pour entrer dans la pièce
et il a

FLIPPÉ GRAVE!

Il a poussé un cri si fort et si aigu que j'ai cru que la grande fenêtre du salon allait voler en éclats.

Alors, Maman s'est réveillée en sursaut. En entendant crier Papa, elle a paniqué et s'est jetée sur lui.

Résultat : il s'est mis à crier encore plus FORT!

Papa a dû croire qu'il se faisait agresser par un zombie en croûte d'avoine et aux yeux de cucurbitacée, affublé d'une robe de chambre rose et coiffé d'une serviette de bain – ce qui, il faut bien l'avouer, est terriblement angoissant, quand on y pense.

Je ne regrette qu'une chose : ne pas avoir pu filmer ça avec mon portable. Je parie qu'il aurait totalisé genre 10 millions de vues sur Youtube.

Peut-être même qu'un producteur nous aurait offert un million de dollars pour inventer un nouveau concept de téléréalité.

OMG ! J'en rigole encore, tellement fort que ça me fait mal au ventre !

☺

Au fait, j'ai un mauvais pressentiment à propos de Chloë, Zoey et cette histoire d'équipe de nettoyage.

POURQUOI ?

Parce que aujourd'hui, au collège, le buzz du jour c'était que MacKenzie avait été choisie par le conseil des élèves pour présider notre soirée Halloween !

C'est **JUSTE L'ENFER !** ☹

Évidemment, elle se la pète grave avec ça.

Elle s'est fait faire une tenue spéciale pour l'occasion et a insisté pour que tout le monde l'appelle « Mademoiselle la Présidente ».

Personnellement, je trouve que la tiare et les roses étaient un peu too much.

C'est pas que je sois jalouse ou quoi, mais...

Non, ce serait vraiment trop puéril !

La première chose que MacKenzie a faite a été de convoquer une réunion d'urgence à l'heure du déjeuner.

Sauf qu'il n'y avait vraiment rien d'URGENT, à mon avis.

On était une trentaine, assis là dans le grand auditorium, en train d'écouter son discours ridicule :

« Je tiens à remercier les merveilleux membres du comité d'organisation de la soirée Halloween et vous faire partager ma vision géniale de ce qui sera l'événement le plus spectaculaire que notre collège ait jamais connu.
Dans cette perspective, chacun et chacune d'entre vous est officiellement convié à ma fête d'anniversaire très privée.
À ce propos, je vous informe que ce rendez-vous, initialement prévu le jour de la cérémonie de remise des prix du concours d'art, a été reporté à samedi prochain, 19 octobre. Je profite de cette occasion pour formuler le souhait que certains d'entre vous, disons... parmi les moins favorisés socialement saisissent cette chance unique de participer à une soirée vraiment glamour et top hype... »

J'ai failli en tomber de ma chaise!

J'y croyais pas! MacKenzie venait de déclarer devant tout le collège que j'étais SOCIALEMENT DÉFAVORISÉE, et m'avait invitée à *sa* FÊTE D'ANNIVERSAIRE.

La seule question qui m'est venue à l'esprit est : POURQUOI?

Elle a poursuivi son discours pendant dix bonnes minutes et, lorsque enfin elle l'a achevé, toutes les filles du CCC se sont levées pour l'applaudir.

MacKenzie a désigné les responsables de l'installation, de l'animation, de la publicité, de la déco et du buffet, et a décidé qu'ils se réuniraient tous les jours à partir de demain.

Quant à l'équipe de nettoyage – qui, soit dit en passant, est composée de Zoey, de Chloë, de Violet Baker, de Théodore L. Swagmire III et de moi-même –, aucune réunion n'est prévue pour elle car «on n'a pas besoin de cerveau pour faire le ménage».

À mes yeux, c'est évident : MacKenzie nous traite, nous, l'équipe de nettoyage, comme des citoyens de second rang, et je n'apprécie pas, mais alors pas du tout!

Pour ma part, je juge capital que nous nous réunissions au moins une fois afin d'élaborer notre stratégie d'action.

Ensuite, MacKenzie a encouragé tout le monde à faire preuve d'imagination pour créer des costumes de Halloween originaux.

Tout le monde, SAUF bien sûr l'équipe de nettoyage. MacKenzie a aussi montré à tout le monde des croquis de l'uniforme « trop mignon » qu'elle avait conçu spécialement pour nous.

Ça tient à la fois de la combinaison spatiale et des sous-vêtements en flanelle, et ça se porte avec de gigantesques bottes plateforme.

DEVANT

MacKenzie a expliqué que chacune des grandes poches cousues sur le devant pourrait largement contenir 20 kilos de déchets.

Et pour aller aux toilettes, il suffit de défaire le grand rabat boutonné sur les fesses.

En plongeant mon regard
dans les petits yeux
perçants de MacKenzie,
j'ai su qu'elle avait dessiné
cet uniforme ridicule
pour nous humilier
devant tout le collège.

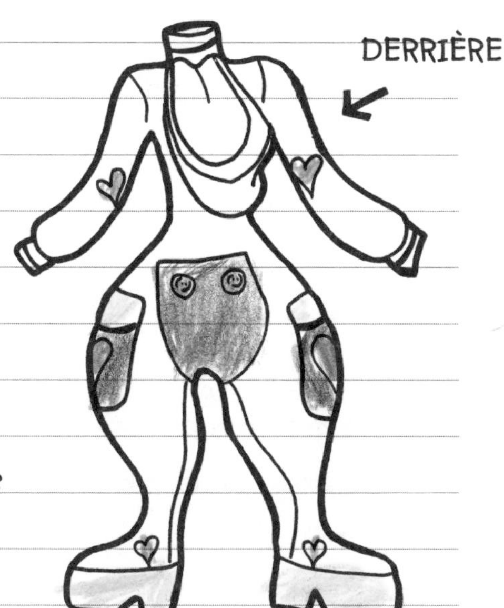

Pourtant, elle s'est contentée
de sourire et de battre
innocemment des cils.

Quand, enfin, la réunion s'est terminée, j'ai dit à Chloë
et Zoey que JAMAIS DE LA VIE je ne laisserais
cette sale meuf nous coller la honte à ce point.

Mais elles étaient toutes les deux tellement à fond à l'idée
de danser qu'elles ne m'ont même pas écoutée.

Elles m'ont dit que je devais avoir l'esprit d'équipe
et essayer l'uniforme de Mackenzie, au moins.

Parce que même si, sur le papier, il était absolument affreux, il serait peut-être super canon une fois porté.

J'étais si énervée que j'en aurais CRACHÉ par terre!

Cette réunion STUPIDE m'avait fait perdre mon temps!

Je trouve que j'aurais mieux fait de profiter de cette heure de déjeuner pour avaler la super-fricassée de thon et de viande préparée avec les restes de la cantine!

JEUDI 17 OCTOBRE

Brianna avait son spectacle de danse ce soir.
Je voulais rester à la maison pour faire mes devoirs, mais Maman m'a obligée à y assister.

Tous les ans, c'est la même chose : de jolies petites filles vêtues de jolis petits costumes dansent de jolies petites danses sur une jolie petite musique.

Brianna ne voulait pas y aller non plus.

Elle DÉTESTE LA DANSE CLASSIQUE !!

À chaque fois que Maman la traîne au cours, elle pleurniche « Mamaaaaann, je veux être une karaté-girl ! Pas une espèce de Barbie qui fait des pointes et se balade en tutu rose ! »

Mais comme Maman rêvait de devenir danseuse étoile quand elle était petite, elle s'est vengée en donnant naissance à une fille et en la forçant à faire des pointes !

Quand j'étais plus jeune, elle a essayé de m'enrôler moi aussi dans un cours de danse classique.

La première fois, je me suis dirigée tout droit vers les vestiaires pour échanger mon justaucorps et mes ballerines contre une tenue de street dance plus appropriée – le genre de fringues qu'on voit sur MTV.

Malgré ma motivation évidente, la prof de danse m'a donné un mot à transmettre à mes parents.

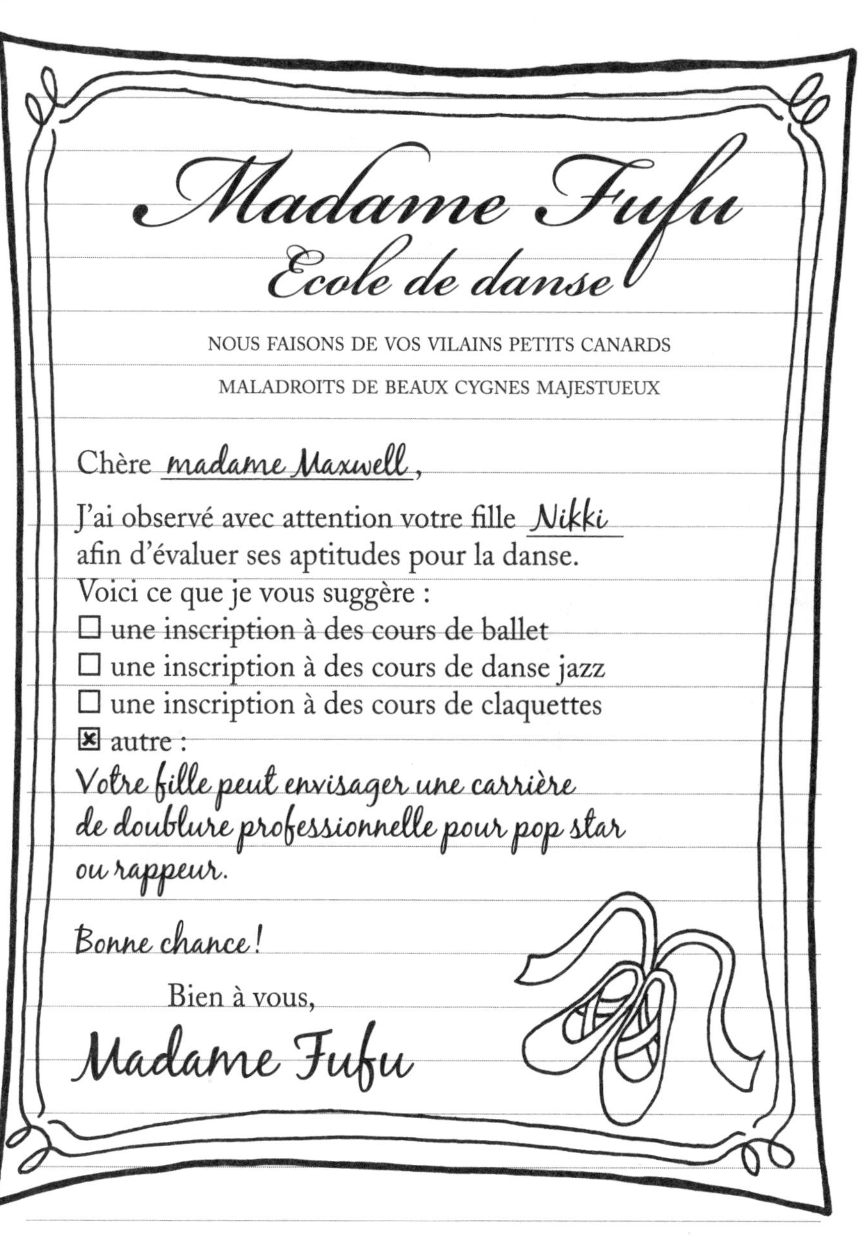
Madame Fufu
École de danse

NOUS FAISONS DE VOS VILAINS PETITS CANARDS
MALADROITS DE BEAUX CYGNES MAJESTUEUX

Chère madame Maxwell,

J'ai observé avec attention votre fille Nikki
afin d'évaluer ses aptitudes pour la danse.
Voici ce que je vous suggère :
☐ une inscription à des cours de ballet
☐ une inscription à des cours de danse jazz
☐ une inscription à des cours de claquettes
☒ autre :
Votre fille peut envisager une carrière
de doublure professionnelle pour pop star
ou rappeur.

Bonne chance !

Bien à vous,

Madame Fufu

J'ai trouvé que c'était une super bonne nouvelle, mais Maman était déçue d'apprendre que je ne deviendrais jamais ballerine.

Malheureusement, Mme Fufu n'aime pas *beaucoup* Brianna non plus.

Elle la renvoie toujours à la maison avant la fin du cours sous prétexte qu'elle perturbe la classe.

La semaine dernière, Brianna a été accusée de dégrader les locaux de l'école de danse.

Au lieu de présenter ses excuses à Mme Fufu, Brianna a menti.

« Mais, Maman, c'est ma copine Plumette qui a taggé cette affiche débile, pas moi ! » avait-elle protesté.

C'était sa version des faits, et elle n'en démordait pas.

Mais tout le monde savait que Mlle Plumette n'était autre que la PROPRE main de Brianna, avec un visage dessiné dessus.

Tout le monde, sauf Brianna.

À mon avis, il est évident que ma petite sœur a des troubles mentaux. Enfin, ce n'est que mon avis !

En tout cas, le spectacle s'est bien déroulé. À l'exception du dernier numéro, intitulé « La grande fête des fées et des fleurs ».

Brianna était plantée sur la scène, tremblante, le regard affolé. J'avais mal pour elle.

Cependant, je dois bien l'avouer, j'étais en partie responsable de son malaise.

Brianna a un problème avec la fée des dents*.
Depuis que je lui ai raconté que la fée ramassait les dents des petits enfants et les collait ensuite avec de la Superglu afin d'en faire des dentiers pour les vieux.

*La fée des dents : c'est la version américaine de la petite souris.

Pour moi, ce n'était qu'une innocente plaisanterie, et je n'avais pas l'intention de lui faire peur.

Mais maintenant, elle n'ose même plus aller aux toilettes toute seule, la nuit.

Après le spectacle, nous étions sur le point de partir quand Mme Clarissa Hargrove, la maman d'une des filles inscrites au cours, a donné à Brianna une invitation à la soirée Halloween organisée pour les élèves du cours.

Elle a expliqué que la fête se tiendrait au zoo de Westchester, près de la ménagerie, dans un pavillon réservé aux enfants.

J'ai été un peu surprise quand Mme Hargrove m'a félicitée pour ma victoire au concours d'art du collège.

Elle m'a dit qu'elle cherchait désespérément une artiste pour créer des masques de Halloween et m'a demandé si j'étais intéressée.

Apparemment, sa nièce, qui est dans mon collège, lui a raconté que j'étais la meilleure dessinatrice de tout le Westchester Country Day et elle lui a suggéré de faire appel à moi.

ET TU SAIS QUOI ?

Mme Hargrove m'a proposé 150 $ pour dessiner des masques et animer des jeux pendant deux ou trois heures.

« Euh… OUIIIIIIIII, d'accord !! » ☺

Pour 150 $, je lui repeins TOUTE sa maison, intérieur ET extérieur !

De toute façon, je n'ai rien de mieux à faire le soir d'Halloween.

Sauf, peut-être, nettoyer la salle après la soirée du collège.

Maintenant, j'ai un excellent prétexte pour ne pas participer à l'opération « Mon mec joue dans le groupe ! » orchestrée par Zoey et Chloë.

Mme Hargrove a proposé d'acheter les pinceaux et tout le matériel nécessaire et de me déposer le tout la semaine prochaine.

Alors me voici, dans ma chambre, en train de regarder fixement mon chèque de 150 $…

Je n'arrive pas à y croire ! Enfin, j'ai de quoi m'acheter le portable dont je rêve depuis si longtemps.

VENDREDI 18 OCTOBRE

Je me demande toujours ce que Brandon voulait me dire, le soir de la cérémonie de remise des prix du concours d'art. Ça m'obsède…

Selon MacKenzie (et les derniers ragots), il a déjà une cavalière pour la soirée Halloween.

Ou alors il souhaitait m'interviewer à propos de ma victoire au concours, comme il me l'avait déjà demandé neuf jours auparavant ?

À chaque fois que je le vois au collège, il me dit bonjour, et c'est tout. Il est vraiment beaucoup plus discret qu'avant.

Et s'il ne voulait pas être vu avec une grosse nouille dans mon genre ?! ☹

De son côté, MacKenzie ne fait rien pour arranger les choses. À chaque fois qu'elle nous voit ensemble, Brandon et moi, elle s'incruste et essaie de le draguer en enroulant une mèche de cheveux autour de son doigt – sa technique habituelle. Elle n'a pas arrêté de la semaine. Je suis persuadée qu'elle mijote quelque chose, mais je n'arrive pas à deviner quoi.

J'ai parlé de Brandon à Chloë et Zoey pendant qu'on rangeait des livres, toutes les trois.

Chloë, qui est spécialiste en matière de mecs, est d'avis que je devrais carrément lui demander ce qu'il voulait me dire. Je lui ai dit que j'avais déjà essayé, mais qu'il était vraiment compliqué de lui parler pendant les cours, à cause de MacKenzie qui nous interrompait sans cesse.

Pourtant, je ne peux pas lui demander de me rejoindre dans le local de service, il va me prendre pour une OUF!

Chloë et Zoey étaient 100 % d'accord avec moi. Pas avec le fait que c'était dur de parler à Brandon pendant les cours, mais avec le fait qu'il me prendrait pour une OUF.

Puis Zoey m'a raconté qu'en cours de gym elle avait entendu MacKenzie dire à tout le monde que le responsable du journal du collège avait demandé à Brandon de lui faire une faveur en acceptant de couvrir sa fête d'anniversaire... C'est là que Chloë s'est écriée : « Eh, les filles, j'ai une idée : comme Brandon sera à la fête de MacKenzie, pourquoi tu n'essaierais pas de lui parler à ce moment-là ? Ça ne te prendra que quelques minutes, après tu pourras partir. »

« T'es complètement OUF, ou quoi ? ai-je crié. Il n'est ABSOLUMENT pas question que j'aille seule à la fête de MacKenzie, avec toutes les CCC qui seront invitées ! »

Alors, Chloë m'a fait un grand sourire et a commencé à agiter les mains, doigts écartés, comme à chaque fois qu'elle a une idée GÉNIALE – du moins, selon elle...

Ça s'annonçait très mal...

« Nikki, tu ne seras pas SEULE ! Parce que NOUS allons venir avec toi ! » a hurlé Chloë, surexcitée.

Je n'en revenais pas : Chloë et Zoey se portaient toutes les deux volontaires pour m'accompagner à la fête d'anniversaire de MacKenzie !

Elles m'ont expliqué qu'elles voulaient venir parce qu'elles étaient mes MAV – Meilleures Amies pour la Vie – et qu'elles devaient me soutenir moralement.

Mais pas parce qu'elles voulaient s'amuser, danser, ou draguer Jason et Ryan, les mecs qu'elles kiffent en secret – et qui, peut-être, les inviteraient à la soirée Halloween !

PAS DU TOUT! Nous étions toutes d'accord : à la fête de MacKenzie, on n'y allait pas pour s'éclater!

Au départ, j'avais l'intention de dépenser les 150 dollars de Mme Hargrove pour m'acheter un portable.

Mais, en inspectant mon armoire, j'ai constaté que la seule tenue super classe que je possédais datait du cours élémentaire et était garnie de volants et de petits boutons.

Plutôt mourir que de remettre la vieille robe toute simple que je portais pour la cérémonie de remise des prix du concours d'art!

Alors j'ai décidé de m'offrir une robe de soirée super glamour dessinée par un créateur, et de l'étrenner à la fête de MacKenzie!

Pour une fois, ma mère a accepté de m'accompagner dans les boutiques du CENTRE COMMERCIAL plutôt que dans les magasins discount qu'elle fréquente habituellement!!!

TOP DÉLIRE!!!! ☺

Pendant que Maman aidait Brianna à choisir son costume de Halloween, j'écumais les boutiques en essayant plein de super-tenues. J'ai même trouvé des chaussures, des bijoux et des accessoires super cool pour aller avec.

J'avais l'impression d'être la vedette de *Qui sera le prochain top model?* et je m'attendais presque à voir Tyra Banks faire irruption dans ma cabine d'essayage.

Elle nous aurait souri très gentiment, à moi et à une autre mannequin, et aurait déclaré :

« J'ai vos deux photos dans la main. Mais seule l'une d'entre vous va poursuivre l'aventure, tandis que l'autre, LA MOCHE, LA NULLE, fera ses bagages et rentrera chez elle ! »

OMG ! J'adore cette fille ! ☺ Je pense qu'elle est un super-exemple pour les ados.

En tout cas, je me suis bien éclatée en essayant toutes ces fringues :

ROCKEUSE
DÉJANTÉE
HIPPIE CHIC
GOTHICO
BRANCHÉE
LOOK FAMILLE
ADDAMS

Malheureusement, aucun de ces styles ne reflétait ma véritable personnalité.

Le centre commercial allait fermer dans moins d'une heure et je commençais à paniquer. Si je ne trouvais pas rapidement une robe, je ne pourrais pas aller à la fête de MacKenzie.

C'est alors que...

je l'ai TROUVÉE !

Hélas, le seul modèle à ma taille était porté par ce mannequin à l'air un peu pétasse, dans la vitrine.

Sans hésiter, je me suis approchée de la vendeuse – une super-pétasse elle aussi – et je lui ai dit en lui tapotant l'épaule : « Excusez-moi, madame, j'ADOOORE cette robe, là, dans la vitrine. Je peux l'essayer, s'il vous plaît ? »

Mais elle était trop occupée à mettre en rayon tout
un assortiment de chaussettes à doigts de pied colorés.

J'imagine qu'elle ne voulait PAS être dérangée,
car elle m'a lancé avec un regard excédé : « Jeune fille,
vous ne voyez pas que je suis occupée ? Filez,
avant que j'appelle la sécurité ! »

Son comportement totalement déplacé m'a beaucoup choquée !

J'ai même pensé à me plaindre à son directeur.
Tout de même, on était dans une boutique chic,
où le client est censé être roi !
Et puis, QUI voudrait acheter une paire de chaussettes
à doigts de pied ?

Enfin, ce n'est que mon avis...

En tout cas, cette robe, je la KIFFAIS vraiment!

Pas question de partir sans elle!

Alors, j'ai décidé de me glisser dans la vitrine pour déshabiller moi-même le mannequin.

Ça ne devait pas être si compliqué que ça, si?

Par chance, la seule personne présente était une vieille dame en train de regarder les panties.

Tout se passait pour le mieux jusqu'à ce qu'elle fasse
une chute accidentelle et que sa tête se détache
de son corps – le mannequin, pas la vieille dame.

AÏE....

À chaque fois que j'essayais de la redresser, elle titubait
sur ses jambes et finissait par retomber, sa tête roulant
au sol comme une boule de bowling.

Et, pour ne rien arranger, un attroupement s'était formé
de l'autre côté de la vitrine, et les gens me fixaient
d'un air ébahi.

Il y avait aussi un tout-petit qui criait très fort,
sans doute effrayé par cette dame sans tête...

Après ce qui m'a paru une éternité, j'ai réussi à faire tenir
ce mannequin debout, et je lui ai trouvé
de nouveaux vêtements.

J'ai payé ma robe et j'ai quitté la boutique à toute vitesse.

Avant que cette méchante vendeuse appelle la sécurité et me fasse arrêter pour vandalisme.

Crois-moi, je ne suis pas près de remettre les pieds dans cette super-galerie!

SAMEDI 19 OCTOBRE

OMG! Je ne peux pas croire ce qui vient de m'arriver à la fête d'anniversaire de MacKenzie. Jamais de toute ma vie je ne me suis sentie aussi humiliée ! ☹

La fête a eu lieu dans un club hyper chic. On aurait pu y tourner un épisode de *Mon incroyable anniversaire*, ce show télévisé diffusé sur MTV, où on voit des enfants de stars organiser de somptueuses soirées pour leurs amis.

Une salle gigantesque avait été transformée en boîte de nuit, avec scène, DJ, et stroboscopes.

Et, pour pimenter le tout, un chef cuisinier préparait des sushis et des pizzas à la demande, tandis qu'un barista genre Starbucks servait des mokas Frappuccinos, des Caralait et des smoothies fraise-banane.

Tous les garçons étaient en costume-cravate et les filles portaient des robes de soirée signées par les plus grands créateurs de mode.

Il devait y avoir 200 ados, et tout le monde dansait et s'amusait.

En arrivant, je me suis dit : « Whouaouhhhh ! »

Chloë et Zoey étaient super bien lookées ! Et elles m'ont dit que j'étais aussi glamour qu'une star de Hollywood.

Toutes les trois, on était super nerveuses et on se sentait un peu déplacées au milieu de toutes ces CCC.

Nous avons déposé nos cadeaux pour MacKenzie sur une table qui croulait déjà sous les paquets, puis nous avons essayé de nous la jouer super cool et détendues.

Un peu comme si on n'était pas les nouilles de service, mais des habituées de ce genre de fêtes de collégiens.

Mais Zoey a tout gâché. Soudain, elle a écarquillé les yeux comme des soucoupes et a laissé échapper un « Hiiiii » haut perché.

Sur une table se tenait une énorme fontaine de chocolat, surmontée d'un magnifique plateau en cristal chargé de fruits frais à tremper dans le chocolat chaud.

Nous nous sommes précipitées pour voir ça de plus près.

C'était le truc le plus **OUF** qu'on ait jamais vu !

Et, pendant qu'on admirait la fontaine, une chose très étrange s'est produite.

Jason et Ryan se sont avancés vers Chloë et Zoey pour les inviter à danser !!!

Toutes les trois, on s'est figées, comme en état de choc.

J'ai pensé qu'il nous faudrait sans doute un défibrillateur, l'appareil que les médecins utilisent pour réanimer les gens qui ont des attaques cardiaques.

Chloë et Zoey sont restées immobiles à cligner des yeux, la bouche grande ouverte, comme des biches prises dans les phares d'une voiture ou un truc du genre.

Elles m'ont regardée, puis se sont tournées vers les deux mecs, puis vers moi, puis de nouveau vers les mecs. Et ça a duré une éternité !

J'ai fini par prendre la parole.

« Mes amies seraient ravies d'accepter votre invitation ! »

C'est à ce moment-là que Chloë et Zoey sont devenues rouges comme des tomates.

« Euh... bien sûr ! » a gloussé Zoey.

« Moi aussi, alors ! » a ri Chloë.

Puis elles ont serré mon bras. Et, parce que je suis leur MAV, je savais exactement ce qu'elles pensaient.

Que les garçons allaient peut-être les inviter à la soirée Halloween.

Alors j'ai lancé avec un clin d'œil : « Allez danser ! Pendant ce temps, je vais goûter à cette délicieuse fondue au chocolat. Amusez-vous bien ! »

Chloë et Zoey ont souri nerveusement pendant que leurs cavaliers les entraînaient vers la piste de danse bondée.

J'étais si heureuse pour elles.

Je n'arrivais pas à me décider. Quel fruit goûter en premier ? Fraise, pomme, ananas, banane ou kiwi ? Comme c'était gratuit, j'en ai mis quelques morceaux dans une assiette et je les ai nappés de chocolat fondu. J'avais hâte de croquer dedans !

J'avais du mal à croire que je m'amusais à une fête de MacKenzie. Si seulement j'avais pu trouver Brandon pour discuter enfin avec lui de cette histoire d'interview, la soirée aurait été PARFAITE.

J'ai été un peu surprise quand MacKenzie et Jessica, sa MAV, se sont approchées de moi et ont commencé à me parler.

« OMG ! Tu es venue ! J'arrive pas à y croire ! a lancé MacKenzie en me souriant. Et en plus, ta robe et tes chaussures sont super mignonnes ! Attends, laisse-moi deviner : tu as fait un vide-grenier ? »

J'ai serré les dents et pris une profonde inspiration avant de plaquer un sourire sur mon visage.

« Bon anniversaire, MacKenzie ! Et merci pour l'invitation ! »

Je n'avais pas de temps à perdre avec ses gamineries. La SEULE raison de ma présence à sa soirée ridicule était Brandon.

Soudain, Jessica s'est mise à me regarder de travers.

« OMG ! C'est quoi, ce truc, sur ton assiette ? Beurk ! »

« Quoi ? » En baissant les yeux, je m'attendais à découvrir un cafard ou un cheveu, ou quelque chose de collé sur le chocolat.

« ÇA ? Tu le vois pas ? C'est dégueu ! » s'est-elle exclamée en pointant du doigt mon assiette, comme si elle contenait un truc gluant à dix-huit pattes.

J'ai levé mon assiette pour mieux voir.

« Qu'est-ce qu'il y a ? Je ne vois ri... »

Mais, avant que je finisse ma phrase, Jessica a frappé le dessous de mon assiette.

PLOFFFF !

Quand l'assiette s'est envolée, quelques morceaux de fruits ont atterri dans la fontaine avec un bruit sourd, m'aspergeant le visage de chocolat fondu.

Mais c'est le devant de ma robe qui a presque tout pris, et plein de petits bouts de fruits se sont collés partout.

Je me suis figée. **L'HORREUR !**

Ma belle robe de créateur était complètement fichue !

MacKenzie et Jessica ont éclaté de rire, imitées par une demi-douzaine de CCC.

« Oh, je suis désolée, Nikki ! C'était un accident ! » a gémi Jessica.

« OMG, Nikki ! Tu aurais dû voir ta tête !! » a gloussé MacKenzie.

Jessica a ironisé : « On dirait que tu as fait une bataille de bouffe. Et que tu as PERDU ! »

La boule qui s'était formée dans ma gorge était si grosse que j'avais du mal à respirer. J'ai cligné des paupières pour chasser les larmes qui me montaient aux yeux. Je ne voulais pas donner à MacKenzie et à Jessica la satisfaction de me voir pleurer.

J'ai attrapé des serviettes et j'ai commencé à essuyer ma robe, mais je n'ai réussi qu'à étaler une grosse tache brune sur le devant.

Brusquement, j'ai compris : MacKenzie m'avait invitée à sa fête dans le seul et unique but de m'HUMILIER EN PUBLIC.

Et, comme une idiote, j'avais mordu à l'hameçon. Comment j'avais pu être aussi stupide ? Soudain, je ne voulais plus parler à Brandon. Je n'avais plus qu'une seule envie : rentrer chez moi.

C'est alors que MacKenzie a passé la langue sur son gloss avant de lancer : « OMG ! Jess, j'aperçois le photographe du "Westchester Society Page". C'est l'heure de notre photo ! »

C'est là que j'ai remarqué que la fontaine tremblait et faisait un drôle de gargouillis. Les morceaux de fruits tombés dedans devaient sans doute boucher quelque chose...

« Quelle magnifique fontaine ! s'est écrié le photographe en avalant une énorme fraise qu'il venait de tremper dans le chocolat. Si on prenait la reine de la soirée et sa meilleure amie juste à côté ? »

Pour ma part, je la sentais pas trop, cette histoire de photo pour le journal local juste à côté de cette fontaine.

Surtout que le gargouillis venait de se transformer en un bruit qui tenait à la fois du vide-ordures et des toilettes bouchées.

Ça n'était pas bon signe. Vite, aux abris !

MOI

Je dois le reconnaître : la grosse tache sur ma robe ne faisait pas très classe.

Mais Jessica et MacKenzie, on aurait dit qu'elles venaient de disputer un match de catch dans une piscine de chocolat fondu, avant de prendre une douche de sirop de chocolat !

Ce qui, soit dit en passant, m'a redonné le moral. 

J'ai jeté mon châle sur ma robe et je me suis précipitée vers la sortie pour appeler mes parents.

J'ai décidé de ne pas dire à Chloë et Zoey que je partais.

Elles dansaient toujours avec Jason et Ryan et avaient l'air de s'éclater.

Avec un peu de chance, elles décrocheraient de « vraies » invitations pour la soirée Halloween, et elles n'auraient pas à inventer une ruse minable genre « On sort avec les musiciens » !

J'attendais mes parents près de la porte en tentant d'ignorer mon violent mal de crâne lorsque j'ai entendu une voix familière.

« Eh, tu t'en vas déjà ? »

C'était Brandon. Génial ! ☹

J'ai resserré mon châle autour de mes épaules pour cacher la tache et j'ai regardé fixement devant moi.

« Oui. À vrai dire, je ne sais pas vraiment pourquoi je suis venue. »

« Je ne vais pas tarder, moi non plus. Il faut juste que je fasse une ou deux photos pour le journal du collège. »

J'ai répondu en me forçant à sourire : « Super... »

Nos regards se sont croisés, mais j'ai vite détourné le mien. Nous sommes restés tous les deux quelques instants sans rien dire.

Je continuais à tripoter mon châle, mais du coin de l'œil je voyais Brandon qui m'observait.

« Tout va bien ? »

« Oui. Je suis crevée, c'est tout. »

« Désolé pour toi... »

« Tiens, voilà mon père. À plus... »

Je me suis précipitée vers la voiture et suis arrivée à son niveau avant même qu'elle ne s'engage dans l'allée.

« Hé, Nikki ! attends une seconde... Je... »

Sans un regard en arrière, j'ai ouvert la portière et me suis laissée tomber sur la banquette.

J'étais épuisée, furieuse, humiliée, et déboussolée.

Et, pour couronner le tout, je crois que j'affrontais ma première migraine.

Mais, surtout, je n'avais pas la force de papoter avec Brandon.

Quand mon père a démarré, j'ai jeté un œil dans le rétroviseur.

Dans le halo d'un réverbère, je l'ai vu, debout au beau milieu de la rue, les mains dans les poches et le regard triste.

Et, soudain, je me suis sentie la fille la plus MÉCHANTE et la plus CRUELLE du monde.

J'ai caché mon visage dans mon châle et là, sur la banquette arrière, j'ai éclaté en sanglots.

POURQUOI je me comportais n'importe comment ?

POURQUOI tout était-il si compliqué ?

POURQUOI avais-je *blessé* quelqu'un à qui je tenais vraiment ?

Encore une HORRIBLE journée dans la vie PATHÉTIQUE de la fille que personne n'aime ! ☹

DIMANCHE 20 OCTOBRE

Quand je me suis réveillée ce matin, j'étais d'une humeur correcte.

Pendant 30 secondes environ.

Puis tous les AFFREUX souvenirs de la soirée de MacKenzie ont commencé à déferler dans ma tête, tel un tsunami géant.

Je n'avais qu'une envie : me pelotonner sous les couvertures et rester cachée là jusqu'à la fin de l'année scolaire.

Je suis totalement déprimée. ☹

J'ai consulté ma messagerie et je n'ai pas été surprise de constater que Chloë et Zoey m'avaient laissé chacune une bonne douzaine de messages.

Mais j'ai décidé de ne PAS les rappeler. La dernière chose que je voulais, c'était de tchatcher pendant des heures au téléphone pour raconter comment MacKenzie et Jessica m'avaient torturée et avaient détruit ma robe.

Pourtant, je n'en veux pas à Chloë et Zoey d'être super vénères contre moi. Ça ne se fait pas, de disparaître dans la nature comme ça !

Mais il FALLAIT que je parte au plus vite de cet endroit. En fait, j'avais complètement PÉTÉ LES PLOMBS !

Vers midi, ma mère est montée pour me dire que le déjeuner était servi. Puis, sans prévenir, elle m'a dit avec un grand sourire : « Tu sais quoi, ma chérie ? J'ai une petite surprise pour toi ! »

MOI, EN TRAIN D'ESSAYER DE DEVINER CE QU'IL Y A DANS LA BOÎTE

Non, je n'arrivais pas à croire qu'elle m'ait enfin acheté un portable. Même si j'en voulais un depuis toujours!

Apparemment, Papa était occupé à faire du rangement au sous-sol quand il est tombé sur une boîte de costumes de théâtre de Maman, du temps où elle jouait Shakespeare au lycée.

Quand elle m'a montré le costume de Juliette, j'ai fait « Waouhhhh ! ».

La robe était taillée dans un magnifique velours frappé violet et festonnée de broderies dorées aux manches et au col.

Il y avait aussi une perruque bouclée et un loup décoré de plumes et de rubans violets.

L'ensemble ressemblait à une vraie tenue de princesse, et c'était en très bon état, même après ce long séjour dans un carton.

Comme le bustier de la robe était lacé, Maman a dit que ça m'irait à merveille. Et elle m'a suggéré de porter cette tenue pour la soirée Halloween.

Je l'ai remerciée en lui disant que c'était le plus beau costume que j'avais jamais vu.

Puis elle m'a suppliée de l'essayer, alors j'ai commencé à bafouiller et j'ai prétexté des leçons à apprendre pour une grosse interro. J'ai promis d'enfiler la robe après le dîner.

Ce qui, bien sûr, était un mensonge. J'ADORE cette robe et je mourais d'envie de l'essayer.

Mais je n'avais pas l'intention de la porter.

JAMAIS !

Après le désastre de la veille, l'idée même de me rendre à une fête me donnait envie de... VOMIR !

Je dois être encore traumatisée.

J'en suis au point où j'ai envie de sécher la soirée Halloween du collège pour aller animer la fête du cours de danse de Brianna. Cela dit, vu que j'ai déjà dépensé l'argent que j'avais gagné, je suis plus ou moins OBLIGÉE d'y aller.

Mais je ne vais pas me mettre la pression.
Que peut-il bien m'arriver de mal à une fête pour gamines de 6 ans ?!

Je passerai le reste de la soirée de Halloween assise dans mon lit, à fixer le mur en boudant – ce qui, inexplicablement, a toujours le don de me remonter le moral. ☺

J'espère juste que Chloë et Zoey ne seront pas fâchées contre moi au point de décider de ne plus être mes copines.

C'est si compliqué d'avoir des amies !

Au fait, ça me rappelle que je ne SUIS PAS impatiente de voir Brandon, demain, en cours de bio.

Son dernier regard continue de me hanter.

Je m'en veux vraiment de m'être mal comportée avec lui, mais je ne pouvais pas faire autrement.

Et je suis presque sûre que maintenant,

IL ME DÉTESTE !!

À sa place, en tout cas, c'est ce que je ressentirais. ☹

LUNDI 21 OCTOBRE

MacKenzie et Jessica m'ont regardée de travers pendant toute la journée, et elles n'ont pas arrêté de chuchoter dans mon dos.

Elles me gonflent tellement que j'ai envie de HURLER !

Apparemment, elles m'en veulent pour le désastre de la fontaine de chocolat.

Et MacKenzie fait courir le bruit que je ne suis venue à sa fête que pour l'humilier, afin que Brandon ne l'invite pas à la soirée Halloween.

Alors que tout ça, c'est LEUR faute !

Si Jessica n'avait pas renversé mon assiette, ces petits morceaux de fruits ne seraient pas tombés dans la fontaine, qui aurait continué à fonctionner normalement.

Je ne peux pas blairer MacKenzie, mais je n'ai JAMAIS essayé de gâcher sa fête d'anniversaire.

Ce serait vraiment très immature, non ?

Même si je n'ai pas revu Chloë et Zoey depuis la fête, elles ont certainement entendu les ragots qui circulent.

Je n'ai pas été étonnée quand j'ai découvert qu'elles m'avaient laissé un mot sur mon casier.

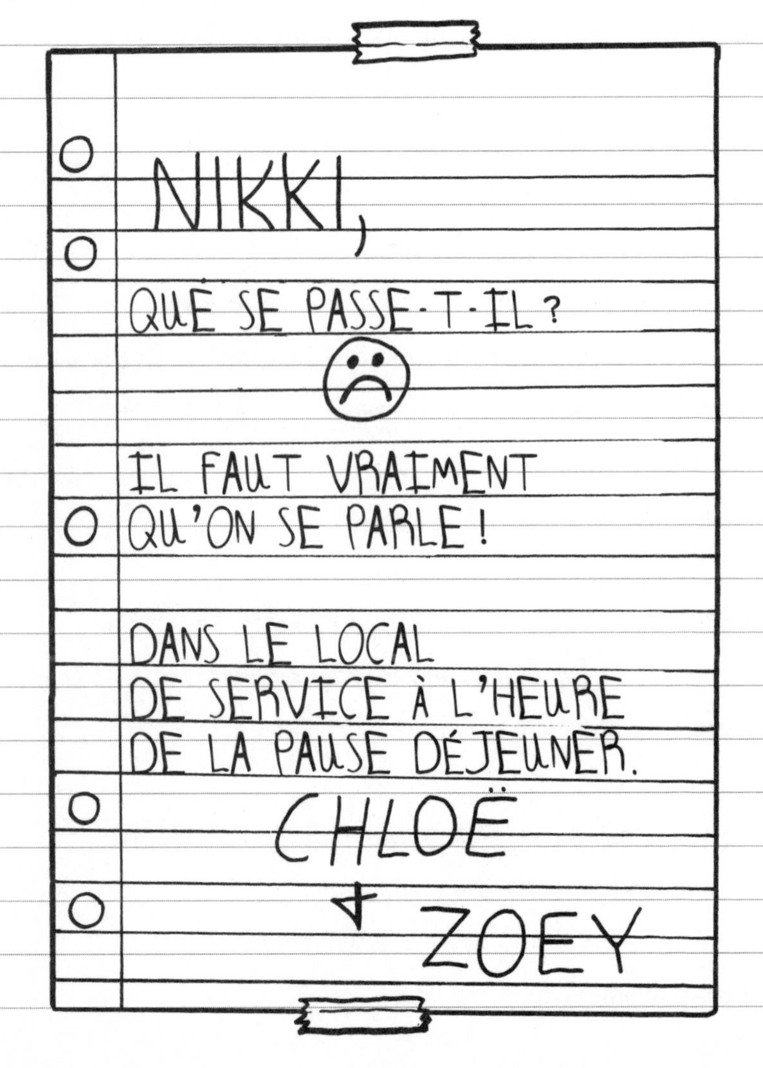
NIKKI,

QUE SE PASSE-T-IL ?

IL FAUT VRAIMENT QU'ON SE PARLE !

DANS LE LOCAL DE SERVICE À L'HEURE DE LA PAUSE DÉJEUNER.

CHLOË + ZOEY

Je n'avais pas le choix : il fallait que j'y aille pour m'excuser d'avoir quitté la soirée aussi vite et leur raconter tous les détails de l'histoire de la fontaine.

Mais je n'ai pas parlé de Brandon, parce que j'étais encore *bouleversée* par ce qui s'était passé entre nous.

J'ai été très SURPRISE que Zoey et Chloë *se* mettent super en colère.

Pas contre moi, mais contre MacKenzie et Jessica.

Elles ont dit qu'elles avaient compris qu'il m'était arrivé quelque chose en constatant que j'avais disparu sans rien leur dire.

Après m'avoir serrée dans leurs bras, elles m'ont assuré qu'elles étaient vraiment désolées que j'aie eu à traverser cette épreuve toute seule.

Et, bien sûr, ça m'a fait pleurer.

Chloë, Zoey et moi, on a eu une super-séance de larmes collectives.

C'est Chloë qui a eu l'idée de nous désinscrire
toutes les trois de l'équipe de nettoyage.
Et Zoey était tout à fait d'accord.

Elles ont dit qu'elles ne toléreraient plus les attaques
permanentes de MacKenzie et de Jessica.

Je n'en croyais pas mes oreilles ! Je savais que Chloë et Zoey
avaient super envie de prendre part aux festivités et de faire
semblant d'être invitées par les musiciens du groupe !

À moins, bien sûr, que Jason et Ryan ne les invitent, ce qui ne s'était pas encore produit.

Mais elles ne s'inquiétaient pas trop. Et même si aucune de nous trois n'allait à la soirée cette année, on pourrait toujours se rattraper l'année prochaine !

Incroyable : mes deux merveilleuses MAV étaient prêtes à faire cet ÉNORME sacrifice pour MOI !

Une nouvelle fois, j'ai senti une grosse boule dans ma gorge, et j'ai eu envie de recommencer à pleurer.

Zoey a rédigé une lettre pour expliquer que nous ne voulions plus faire partie de l'équipe de nettoyage, et nous l'avons signée toutes les trois.

Puis nous sommes allées voir Jessica, qui était l'assistante personnelle de Mackenzie pour tout ce qui concernait la correspondance officielle du comité d'organisation de la soirée Halloween.

Tout d'abord, Jessica nous a regardées d'un air méchant.

Puis elle m'a arraché la lettre des mains.

« Il est grand temps d'écrire une lettre d'excuses à MacKenzie. La pauvre, elle est complètement traumatisée. Espérons qu'elle va l'accepter. À sa place, je la refuserais ! »

Je n'en croyais pas mes oreilles !

MacKenzie a dû avoir une petite surprise en ouvrant notre lettre. Et, bien sûr, elle a dû piquer une crise et faire son cinéma habituel.

Il va me falloir des années de thérapie intensive pour me remettre d'avoir eu une voisine de casier comme elle !

Au fait, aujourd'hui, en SVT, Brandon m'a à peine dit bonjour, puis il m'a ignorée pendant tout le cours.

J'imagine qu'il m'en veut, lui aussi.

Parfois, j'ai l'impression que LE MONDE ENTIER m'en veut.

Mais enfin !!!! ☹

MARDI 22 OCTOBRE

Aujourd'hui, nous avons commencé à faire des groupes en cours de gym.

Je pense que je dois être allergique à la gym, parce que j'ai des boutons dès que je m'approche à moins de quinze mètres du matériel de sport.

Notre prof a mis Zoey et Chloë dans le groupe des moyens parce qu'elles sont toutes les deux plutôt bonnes.

Moi, je me suis retrouvée dans le groupe des débutants parce que, selon la prof, j'avais besoin de travailler les « fondamentaux ».

La première chose que je suis censée apprendre est à « ne pas tomber ».

À ma grande surprise, j'ai compris très vite.

Et, avec du courage et de la discipline, je pourrais peut-être décrocher un 10. Comme ces filles qui participent aux jeux Olympiques.

MOI À LA BARRE FIXE,

EN TRAIN DE « NE PAS TOMBER »

MOI AUX BARRES ASYMÉTRIQUES,

EN TRAIN DE « NE PAS TOMBER »

MOI SUR LE CHEVAL D'ARÇONS,
EN TRAIN DE « NE PAS TOMBER »

La prof a dit qu'elle était vraiment fière des progrès que j'avais accomplis en cours aujourd'hui et elle m'a mis un B+.

Maintenant, j'ai encore plus de respect pour les gymnastes, surtout celles qui savent parfaitement « ne pas tomber ».

Comme MacKenzie a cours de gym avec nous, elle est venue nous dire, à Chloë, Zoey et moi, qu'elle organisait une autre réunion d'urgence à l'heure du déjeuner.

Elle a ajouté que c'était pour accepter la démission de certains membres du comité mais que la présence était obligatoire.

Nous étions à la fois heureuses et soulagées qu'elle ait accepté de nous laisser partir. Une fois de plus, nous avons sauté le déjeuner pour rejoindre l'auditorium.

Mackenzie a ouvert la réunion en disant que toutes les démissions devaient être acceptées par elle-même. Et qu'en attendant, Chloë, Zoey et moi restions officiellement membres de l'équipe de nettoyage.

C'est là que les choses ont commencé à se gâter.

Tout à coup, elle a déclaré avec des sanglots dans la voix : « À cause d'un incident survenu récemment dans ma vie – et dont je tairai le nom de la responsable –, je suis dans l'obligation de renoncer à la présidence du comité d'organisation, et je vous présente ma démission. Bien sûr, je continuerai à soutenir cet événement en y participant, si toutefois il a lieu. »

Puis, comme s'ils s'étaient donné le mot, tous les membres du comité d'organisation ont démissionné. Ensuite, ça a été le tour des équipes responsables du buffet, de l'animation, de la publicité et de la décoration.

Avec un grand sourire, MacKenzie a déclaré : « En tant que présidente, j'accepte toutes les démissions, y compris la mienne. Tous les ex-membres du comité peuvent désormais partir. »

Avec les membres de l'équipe de nettoyage, on est restées immobiles, sous le choc, tandis que tous les autres quittaient la pièce un à un.

Tous, sauf MacKenzie.

« OMG ! J'ai complètement oublié de valider vos démissions ! Ce qui signifie que désormais, le comité d'organisation de la soirée Halloween, c'est vous ! Si vous décidez de rester, vous feriez mieux de vous mettre au travail tout de suite parce qu'à cinq, vous avez du pain sur la planche ! Si vous décidez d'annuler la fête, assurez-vous d'en informer le principal, M. Winston, ainsi que le conseil des élèves. Je n'aimerais pas être à votre place : décevoir tout le collège, comme ça, c'est dur... Bonne chance, bande de losers ! »

Je me suis contentée de soupirer et de lever les yeux au ciel.

« C'est quoi, ce sketch, MacKenzie ? Tu ne peux pas abandonner comme ça ! »

« Ah ouais ?! Alors REGARDE-moi bien... »

Et, dans un ricanement de sorcière, elle a quitté la pièce.

Je DÉTESTE quand elle fait ça !

Dans l'après-midi, tout le collège ne parlait que de ça : la démission de MacKenzie et des autres membres du comité.

Tout le monde disait que la soirée Halloween serait soit annulée, soit complètement CATASTROPHIQUE !

POURQUOI ?

Parce que personne ne croyait que l'équipe de nettoyage – composée de Chloë, Zoey, Violet, Théodore et moi – était capable d'organiser la plus importante manifestation du trimestre.

Et ils avaient tout à fait raison !

☹

MERCREDI 23 OCTOBRE

J'ai passé la nuit entière à me tourner et me retourner
dans mon lit et je n'ai pratiquement pas fermé l'œil.

J'ai fait un horrible cauchemar.

J'étais à la soirée Halloween, en train de danser.
Déguisée en tablette de chocolat.

Et, pour une étrange raison, je ne sentais ni mes orteils,
ni mes pieds, ni mes jambes.

Soudain, je me suis aperçue avec horreur que mon corps
tout entier était en train de fondre en formant une mare
de chocolat tiède et gluant.
Et, alors que j'appelais désespérément au secours,
tout le monde, sur la piste, a éclaté de rire et commencé
à tremper des morceaux de fruits dans mes membres fondus.

UN VRAI TRAUMATISME !

Quel soulagement quand j'ai compris que ce n'était
qu'un stupide cauchemar !

Ce matin, avec les membres de l'équipe de nettoyage, nous avons tenu une réunion d'urgence à la bibliothèque.

Il s'agissait VRAIMENT d'une urgence, car il fallait décider si oui ou non, la soirée de Halloween était annulée.

J'étais dans la bibliothèque, en train d'écrire mon journal en attendant les autres, quand Brandon est entré.

J'ai été surprise de le voir, parce qu'il semble m'éviter depuis quelques jours.

Il a posé une pile de livres sur le guichet et a hésité à m'aborder, comme s'il était un peu nerveux. Puis, finalement, il s'est avancé vers moi.

« Euh... Comment ça se présente, pour la soirée Halloween ? »

« Ça ne se présente pas, pour l'instant. MacKenzie a démissionné, en emmenant avec elle presque TOUS les membres du comité. »

« Mais il reste toi et quelques autres, n'est-ce pas ? »

« Malheureusement, nous allons nous réunir dans quelques instants et tout annuler officiellement, ai-je répondu en jetant un coup d'œil à la pendule. J'attends juste que tout le monde arrive. »

Brandon a croisé les bras et laissé échapper un soupir. « Dommage ! J'avais hâte d'y aller. »

J'avoue, il avait l'air un peu déçu. Et, bizarrement, ça m'a contrariée.

« Je suis sûre qu'avec MacKenzie, vous trouverez d'autres idées pour la nuit de Halloween. Vous pourriez aller sonner aux portes ? »

J'ai rejeté la tête en arrière et me suis forcée à rire pour cacher mon trouble.

« MacKenzie ? Qui a dit que j'avais invité MacKenzie ? »

« Euh... tout le monde. »

« Ah bon... Tout le monde se trompe, alors », a-t-il ajouté en haussant les épaules.

Je l'ai dévisagé d'un air perplexe. OMG ! Venait-il VRAIMENT de dire qu'il n'inviterait PAS MacKenzie ! QUOI ??! Comment une telle chose était-elle possible ?

« Si c'est le cas, alors il faut que quelqu'un lui dise, car elle a déjà choisi vos costumes. »

Brandon a regardé par la fenêtre de la bibliothèque, comme si notre conversation l'ennuyait, avant d'expliquer : « C'est déjà fait. Elle m'a demandé de l'inviter et j'ai dit NON. »

« Tu as dit NON à MacKenzie ? Mais... pourquoi ? Personne ne dit jamais NON à MacKenzie ! »

« Elle a répondu que puisque c'était comme ça, elle allait tout annuler », a dit Brandon, qui paraissait très ennuyé.

« Attends... C'est une blague ? MacKenzie a menacé de priver tout le collège de cette fête si tu refusais de sortir avec elle ? »

« C'est un peu ça, oui. »

« Mais c'est pas possible ! C'est complètement... DINGUE ! »

« Oui, elle vous a bien eus. »

J'ai essayé de résumer ce que je venais d'apprendre.

« Alors comme ça, MacKenzie démissionne, fait annuler la soirée, et comme ça, personne ne peut savoir qu'elle a menti à ton sujet. Et au bout du compte, tout le collège nous en veut, à NOUS, et pas à elle ! C'est DIABOLIQUE ! »

« Si vous annulez la soirée, elle aura gagné », a constaté Brandon.

« WAOUH !! C'est complètement OUF ! Je ne sais pas comment on peut réussir à organiser tout ça. »

Brandon a fait une drôle de grimace avant de me lancer avec un clin d'œil : « Débrouille-toi. Sinon, j'ai bien peur que MacKenzie ne réussisse son coup. »

« Écoute, Brandon, tu as vu l'équipe de nettoyage ?! En fait, tu devrais vraiment avoir peur. TRÈS peur, même !! »

Ensemble, nous avons éclaté de rire. C'était un peu bizarre, mais le fait de parler à Brandon me faisait non seulement voir les choses différemment, mais aussi me sentir BEAUCOUP mieux.

Ensuite, on a parlé du collège et tout ça. Tout allait bien jusqu'à ce qu'il me sourie et plante timidement ses yeux dans les miens.

Évidemment, j'ai commencé à rougir. Puis tout est devenu si calme autour de nous qu'on entendait le tic-tac de la pendule.

Je crois qu'il était un peu gêné lui aussi, parce qu'il s'est mordu la lèvre et a commencé à pianoter sur le présentoir des magazines.

Soudain, il s'est frappé le front et m'a regardée de son air niais mais trop mignon.

« J'ai failli oublier ce que je venais faire ici ! »

« Oui, moi aussi. » Je me suis avancée vers le guichet et j'ai attrapé sa pile de livres pour les enregistrer. « Tu n'es pas en retard. Alors, tu viens me rendre... »

Il ne m'a pas laissée terminer ma phrase.

« Non, en fait, je suis venu pour te demander si tu voulais bien m'accompagner à la soirée Halloween. »

Je l'ai fixé, bouche bée.

Je n'en croyais PAS mes oreilles.

« Attends. J'ai bien entendu ? Tu m'as demandé si... »

« Oui, c'est ça. »

J'ai bafouillé : « Eh bien... c'est d'accord. Avec plaisir... si la soirée a bien lieu. »

Je me suis forcée à prendre ça avec détachement, mais dans ma tête je hurlais :

YESSSS !!!! ☺

« Cool, a répondu Brandon en hochant la tête d'un air soulagé, super cool. Et si je peux vous aider, fais-moi signe. »

« Bien sûr ! Merci... pour ton invitation. »

« De rien. Bon, il faut que j'y aille. On se voit en SVT ! »

Toujours sous le choc, je l'ai regardé se diriger vers la porte et disparaître dans le couloir.

ENFIN !!!

Brandon m'avait invitée à la soirée Halloween !!!

J'étais si heureuse ! J'ai commencé à faire ma « danse du bonheur ».

Après, Chloë, Zoey, Violet et Théo sont arrivés
et nous avons commencé notre réunion.

Quand je leur ai raconté l'histoire avec MacKenzie
en leur expliquant pourquoi elle avait fait annuler la soirée,
ils ne voulaient pas me croire.

Qui aurait pu penser que cette fille serait assez égoïste,
assez perverse, assez manipulatrice...

Quel DÉMON ! À côté de MacKenzie,
Cruella c'est Dora l'Exploratrice !

Enfin, j'ai rien dit...

À la fin de la réunion, nous étions tous d'accord
sur deux points.

Premièrement, il n'était pas question de laisser MacKenzie
continuer ses petites magouilles.

Et deuxièmement, nous allions offrir aux élèves du WCD
la meilleure soirée Halloween de TOUS LES TEMPS !

L'équipe de nettoyage se chargeait de tout ! ☺

La seule chose qui m'inquiétait, c'est que je risquais d'être un peu plus occupée que prévu.

J'allais devoir :

1. Aider à préparer la fête du cours de danse de ma sœur.

2. Travailler au comité d'organisation de la soirée Halloween du collège.

3. Me faire passer pour la copine d'un musicien, avec mes copines Chloë et Zoey.

ET AUSSI :

4. Me préparer à mon rôle de petite amie officielle de Brandon pour la soirée !

TOUT ÇA EN MÊME TEMPS !

En une seule journée, j'étais passée du statut de fille « nulle » à celui de « top girl overbookée ».

Mais j'étais persuadée que tous ces petits problèmes
d'agenda finiraient par se résoudre.

Comment elles font, les stars de Hollywood ?

On les voit bien dans toutes les fêtes et dans toutes les villes
en même temps, accompagnées chaque fois de leur MAV
et de leur petit ami !

Si elles arrivent à être partout, pourquoi pas moi ?

Et c'est bien connu : tous ces pipoles ont à peine le QI
d'un poisson rouge.

La bonne nouvelle, c'est que, maintenant, je ne suis plus
la nouille de service !

☺

JEUDI 24 OCTOBRE

Mme Peach nous a autorisés à nous réunir dans la bibliothèque tous les matins pour préparer la soirée Halloween.

Elle est trop ADORABLE !

Nous avons voté et j'ai été élue présidente.

Ce qui veut dire aussi que ce sera entièrement MA faute si tout se passe mal.

Violet sera responsable de l'animation, Zoey de l'organisation, Chloë de la déco et Théo du nettoyage.

Tout le monde m'a demandé de me charger de la publicité et de dessiner une super-affiche.

Mais il nous manquait quelqu'un pour s'occuper du buffet.

Et une bonne vingtaine de personnes pour nous aider.

C'est alors que j'ai eu une idée géniale : mettre une nouvelle affiche sur le panneau près du bureau pour tenter de recruter des volontaires.

Les garçons du collège et les CCC sont vraiment trop gamins !

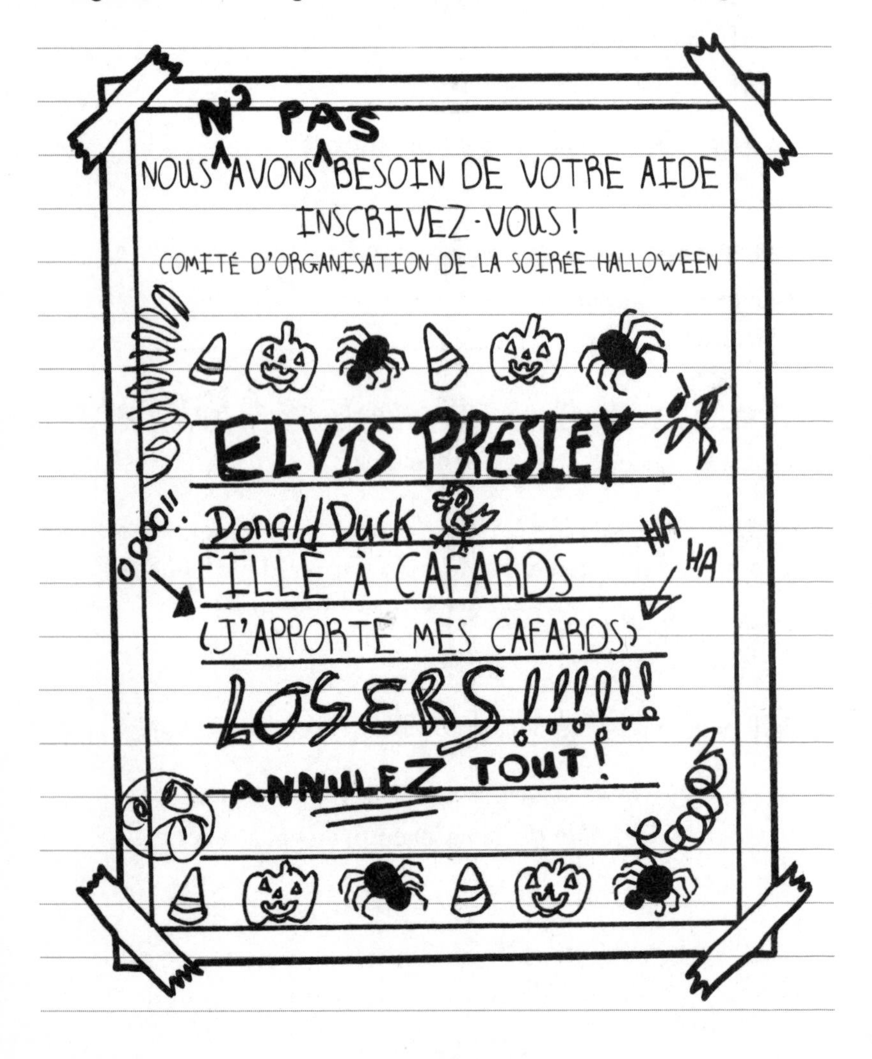

La bonne nouvelle, c'est que nous avons une bénévole de plus : Jenny Chen.

J'ai proposé que chacun d'entre nous demande à un ou deux amis de nous aider, car nous avions désespérément besoin de gens.

Brandon est repassé pour prendre la photo officielle du comité d'organisation de la soirée Halloween, destinée au journal du collège.

Du moins, j'imagine qu'il s'agissait de la photo officielle ! ☺

Une fois la réunion terminée, j'avais prévu de faire
une surprise à Chloë et Zoey en leur annonçant que Brandon
m'avait choisie pour l'accompagner à la soirée.

Je mourais d'envie de le leur dire depuis la veille,
mais j'attendais le bon moment.

J'étais sur le point de faire ma révélation quand j'ai vu Jason
et Ryan dans la bibliothèque, en train de draguer deux CCC.

Au cas où Chloë et Zoey se demanderaient encore
si ces deux mecs allaient les inviter à la soirée,
elles avaient leur réponse !

Et la réponse était : NON !

Je n'arrivais pas à croire que Jason et Ryan avaient eu le culot
d'inviter deux pom-pom girls, Sasha et Taylor, sous le nez
de Chloë et Zoey !

Enfin, pas tout à fait sous leur nez, car nous étions en train
de les espionner à travers les rayonnages de livres.
Mais quand même !

Soudain, il m'a paru ÉVIDENT que pour Jason et Ryan, les deux heures qu'ils avaient passées à danser avec Chloë et Zoey à la fête de MacKenzie ne signifiaient rien du tout. Ces deux mecs les avaient jetées comme deux vieux Kleenex, avant d'inviter des CCC à la soirée Halloween.

Chloë et Zoey en avaient le cœur brisé.

Mais elles m'ont affirmé que le fait d'avoir une MAV comme moi les aidait beaucoup à surmonter le désastre de leur vie amoureuse.

En tout cas, ce n'était vraiment pas le moment de leur annoncer que Brandon et moi irions à la soirée ensemble.

J'étais trop désolée pour elles.

Mais j'ai aussi mes propres problèmes à gérer. La soirée Halloween m'OBSÈDE à tel point que j'ai COMPLÈTEMENT zappé l'interro de géométrie d'aujourd'hui !

La prof nous a donné un problème super compliqué à résoudre, et nous avions exactement quarante-cinq minutes pour trouver les angles X, Y et Z.

J'ai commencé par fixer ma feuille en paniquant.

Ensuite, j'ai compris que je dramatisais beaucoup trop, et que le problème n'était pas si compliqué que ça.

J'ai dû me transformer en génie des maths car soudain, j'ai eu l'impression de savoir très exactement ce qu'il fallait faire.

J'ai résolu le problème en un rien de temps.

Ensuite, j'ai fait une petite sieste pendant que les autres débiles essayaient de finir dans les temps.

Quand tout le monde a eu terminé, la prof a ramassé les copies, les a notées et nous les a rendues.

J'ai jeté un œil sur la mienne et j'ai été totalement BOULEVERSCOTCHIFIÉE !

Ce qui, au passage, signifie à la fois BOULEVERSÉE, SCOTCHÉE, et STUPÉFIÉE !

Alors, là, j'ai complètement pété les plombs et j'ai crié à la prof : « S'il vous plaît, c'est quoi, tout ce rouge ? On dirait que vous avez saigné du nez et que vous vous êtes servie de ma copie comme mouchoir ! »

En fait, je me suis dit tout ça dans ma tête, et personne d'autre que moi ne l'a entendu.

Bon, je dois bien admettre que ma prof de géométrie n'est PAS la première à souligner mes faiblesses en maths.

L'année dernière, je me suis portée volontaire pour aider les sixième à faire leurs exercices.

J'étais super contente parce que ça payait très bien : 10 $ de l'heure.

Si j'arrivais à faire 100 000 heures de soutien scolaire d'ici à la fin de l'année, je serais millionnaire !

Avec tout cet argent, je pourrais m'offrir des objets de première nécessité comme un iPhone, une garde-robe de créateurs, des fournitures de dessin et un hélicoptère privé pour m'emmener au collège tous les jours – et me ramener.

Ce serait quand même trop COOL d'avoir mon propre hélico, non ?

Quant à MacKenzie et à ses copines du CCC, elles seraient MÉGAJALOUSES de nous.

En tout cas, ma première semaine de soutien scolaire en maths s'est vraiment bien passée. Je sentais que j'allais ADORER ma nouvelle vie de millionnaire qui s'est faite toute seule.

Malheureusement, dès que les notes des contrôles sont arrivées, les plaintes ont commencé à pleuvoir...

... et moi à me sentir super mal.

Alors j'ai essayé de dire quelque chose de positif pour permettre à mes élèves de retrouver leur estime de soi piétinée.

Mais je ne crois pas que ma positive attitude ait remonté le moral à qui que ce soit.

Alors j'ai renoncé à mon poste de tutrice et rendu tout l'argent qu'on m'avait versé.

D'abord, parce que c'était juste.

Ensuite, parce que je suis allergique aux foules en colère.

OMG!! J'ai eu une réaction si vive que j'ai cru que j'allais devoir appeler une ambulance.

Dieu merci, ma prof de géométrie ne prend pas en compte la plus mauvaise note quand elle calcule notre moyenne du semestre.

Mais quand même ! Si mes parents apprennent que je me suis plantée en géométrie, ils vont me

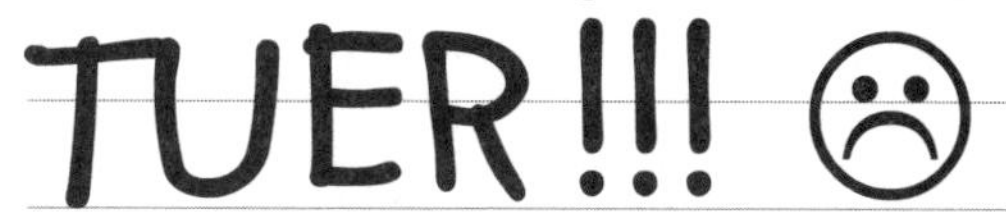

VENDREDI 25 OCTOBRE

ARRRRGGGHHHH !

Je suis tellement VÉNÈRE contre Hollister MacKenzie que je pourrais.... je pourrais... CRACHER PAR TERRE !!

Non seulement elle a complètement RUINÉ les chances des collégiens d'avoir une belle fête en démissionnant à la dernière minute, mais en plus elle a laissé un b... incroyable derrière elle.

J'ignorais tout de l'étendue des dégâts jusqu'à ce que je demande aux membres du comité de me faire un rapport pour notre réunion de ce matin.

C'est Zoey qui a pris la parole en premier. Elle a raconté que MacKenzie avait magouillé avec les filles du CCC pour qu'elles persuadent leurs parents d'organiser la soirée dans le club privé où elle avait fêté son anniversaire – et de payer, bien sûr.

Et quand Zoey a appelé pour s'informer sur les horaires de réservation de la salle, on lui a dit que la présidente avait annulé la soirée.

Et comme les CCC ne sont plus responsables de la soirée, leurs parents ne sont plus d'accord pour financer la location du club privé !

Ce qui signifie, en clair, que nous ne savons pas où la fête aura lieu. ☹

J'ai suggéré à Zoey de demander à M. Winston, le principal, l'autorisation d'utiliser le gymnase ou la cafétéria du collège.

Mais Zoey m'a répondu qu'elle s'en était déjà occupée.

La cafétéria n'est pas disponible parce que l'Union des collégiens en a besoin pour collecter des fonds pour l'UNICEF, et le gymnase non plus car le sol doit être refait avant le début de la prochaine saison de basket.

« Pour résumer, on n'a pas d'endroit pour organiser la soirée, et pas d'argent pour louer une salle. Voilà, j'ai terminé mon rapport. Des questions ? » a dit Zoey avant de se laisser tomber sur sa chaise.

Personne n'avait de questions. Ce qui était une bonne chose, car Zoey n'était pas vraiment d'humeur à y répondre.

Je l'ai remerciée pour son rapport complet et très détaillé. Ensuite, c'était au tour de Violet de nous parler de l'animation.

Elle nous a informés que le groupe choisi pour animer la soirée avait été annulé par la précédente présidente, et n'était donc plus disponible. Cependant, leur manager avait accepté de nous rembourser intégralement. Dans dix jours.

« Nous n'avons pas encore trouvé de groupes disponibles la semaine prochaine ou prêts à jouer gratuitement. Ce qui revient à dire que nous n'avons pas de musique pour la soirée », a déclaré Violet.

Je l'ai remerciée pour son rapport complet et très détaillé.

Les nouvelles étaient les mêmes pour la déco et le buffet.

Chloë a expliqué que la commande des décorations de Halloween avait été annulée. Même chose pour le traiteur, selon Jenny. Et toutes les deux attendaient des remboursements – APRÈS la soirée.

Enfin, Théo a ajouté que si la soirée avait lieu, il était toujours d'accord pour faire le ménage ensuite.

En tant que présidente du comité d'organisation de la soirée Halloween, je jouais ma réputation. Mais grâce à MacKenzie, nous n'avions pas de salle, pas de groupe, pas de déco et pas de buffet !

Pour être certaine que la soirée soit vraiment ratée,
elle a fait en sorte que nous n'ayons plus un sou pour payer
la salle, le groupe, la déco et le buffet.

Alors nous avons voté et décidé à l'unanimité d'

ANNULER

officiellement la soirée Halloween.

Je suis restée plantée là, sans dire un mot. J'étais si triste
que j'en aurais pleuré.

Car même si tout ça n'était pas notre faute, je ne pouvais pas
m'empêcher de penser que nous avions laissé tomber
tout le collège.

Le pire, c'est que c'était à moi d'annoncer la mauvaise
nouvelle à tout le monde...

J'ai décidé de repousser cette corvée à lundi.

Très bientôt, je ne vaudrais guère mieux que les moisissures
dans les douches des vestiaires.

Quand je suis rentrée du collège, mon père m'a demandé de ramasser les feuilles dans le jardin. J'étais censée ratisser et Brianna mettre les feuilles dans des grands sacs en plastique.

JE DÉTESTE, DÉTESTE, DÉTESTE

faire des corvées avec Brianna!! ☹

Ça m'a pris des heures pour rassembler un grand tas de feuilles, et Brianna ne m'a pas aidée DU TOUT!

Grâce à Brianna, j'ai fini avec plein de feuilles, de branches et autres trucs dégueu collés dans les cheveux. On aurait dit que je m'étais fait une coupe afro !

J'étais super vénère ! J'aurais voulu fourrer ma sœur dans un sac-poubelle et la déposer sur le trottoir avec les feuilles.

Mais, bien sûr, on ne peut pas faire ce genre de chose à sa petite sœur ou son petit frère, même s'il ou elle le mérite. En plus, je ne crois pas que les parents apprécieraient.

POURQUOI, POURQUOI, POURQUOI ne suis-je pas restée fille unique??!!

☹

SAMEDI 26 OCTOBRE

J'ai super mal à la tête, et je me suis sentie déprimée toute la journée. ☹

J'ai plus ou moins renoncé à la soirée Halloween.

À moins d'un miracle, cette soirée n'aura pas lieu.

En plus, j'ai des problèmes plus importants à régler.

Comme par exemple celui de Brianna, ma ouf de sœur. Sa phobie de la fée des dents semble empirer.

Je pense que Papa et Maman devraient sérieusement envisager de l'emmener chez le psy pour lui faire suivre une thérapie.

La semaine dernière, Brianna m'a réveillée toutes les nuits pour que je l'accompagne aux toilettes parce qu'elle avait peur d'y aller seule.

Ce qui m'embête, ce n'est pas tellement le fait qu'elle m'ait réveillée au beau milieu de la nuit.

Non, ce qui m'a rendue vraiment dingue, c'est SA FAÇON de me réveiller !

Je m'estime heureuse que Brianna ne m'ait pas encore crevé un œil.

Alors j'ai fait ce que toute fille normalement constituée privée de sommeil aurait fait à ma place.

J'ai juré à Brianna que j'allais tuer – euh... ou plutôt me débarrasser de – la fée pour qu'elle puisse de nouveau aller aux toilettes toute seule. Et que je puisse retrouver un sommeil normal.

Alors, au milieu de la nuit, Brianna et moi sommes descendues dans la cuisine sur la pointe des pieds pour préparer un spray spécial anti-fée.

RECETTE MAISON DE SPRAY ANTI-FÉE

1 bol d'eau de source
½ bol de vinaigre
½ bol d'huile de thon filtrée
½ bol d'huile de sardine filtrée
1 cuillerée à café d'ail finement haché
1 cuillerée à café de poudre d'oignon

Mettez tous les ingrédients dans une bouteille et secouez vigoureusement pendant une minute jusqu'à obtention d'un mélange homogène. Pour un meilleur résultat, vaporisez dans les endroits où la fée est indésirable. Anéantit les fées des dents et la plupart des insectes volants pendant 23 ans. Se conserve au maximum 7 jours au réfrigérateur. Peut aussi être consommé comme sauce à salade.

Je l'avoue, j'ai inventé cette recette sur l'instant, pour faire croire à Brianna que ce spray serait vraiment efficace.

J'ai versé le liquide dans un vaporisateur vide et ça avait l'air plus vrai que nature. Le seul problème était que ça PUAIT comme un putois mort. Ou comme les abords d'une décharge un jour de canicule.

Brianna n'était pas très à l'aise et elle avait peur que la fée se fâche si on la pulvérisait.

Ça m'a rappelé la fois où Papa a été poursuivi dans tout le jardin par des frelons qu'il avait aspergés, jusqu'à ce qu'il aille se réfugier derrière des poubelles.

C'est là que j'ai eu l'idée géniale de mettre une tenue de protection. Mais je n'avais pas le choix : si je voulais que Brianna croie à l'efficacité de mon spray, il fallait que je joue le jeu.

Brianna a fouillé dans son coffre à jouets et m'a donné son masque de plongée en plastique bleu, celui avec un tuba.

Elle m'a expliqué que c'était pour protéger mes yeux et empêcher la fée de me les arracher – au cas où elle s'énerverait VRAIMENT.

Pourtant, pour être tout à fait franche, je craignais davantage la réaction de Brianna que celle de la fée.

Ensuite, elle m'a donné sa mini-raquette de tennis avec une corde cassée pour faire une tapette à fée.

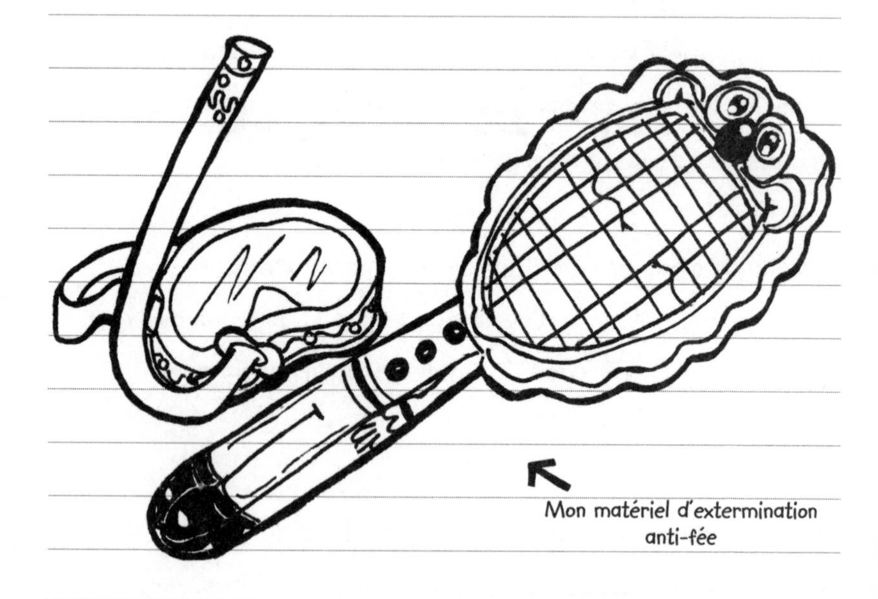

Malheureusement, dès que j'ai mis le masque sur mon visage, une épaisse buée a commencé à se former sur le verre.

De plus, avec ce tuba, j'avais beaucoup de mal à respirer.

J'étais VAPORISATOR, le robot exterminateur !

À NOUS DEUX, PETITE FÉE !

J'ai pulvérisé de spray anti-fée le lit de Brianna, son bureau, sa lampe et sa chaise.

Ensuite, je me suis attaquée aux rideaux et au coffre à jouets.

J'étais sur le point de m'arrêter quand Brianna a commencé à sortir des trucs de sous son lit pour que je traite le sol à cet endroit.

Après, elle a vidé son armoire...

Et elle a insisté pour que je vaporise aussi son sac à dos Hello Kitty, son lecteur de CD Barbie et ses poupées, pour être sûre de ne rien oublier.

J'ai tenté de convaincre Brianna qu'elle n'avait absolument plus rien à craindre.

Car si la petite fée des dents se trouvait vraiment dans sa chambre, elle était sans doute en train d'étouffer, en ce moment. La pauvre petite devrait s'enfuir et regagner sa maison, avant de se plonger pendant une semaine au moins dans un bain moussant agrémenté de jus de tomate et d'eau de Javel.

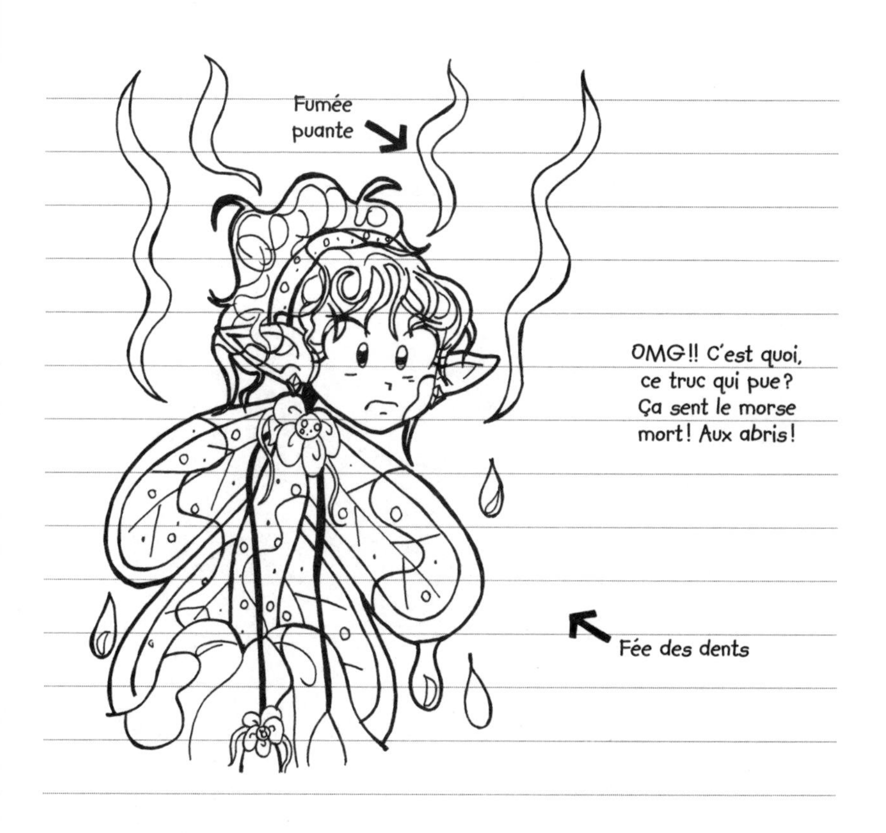

Mais Brianna a commencé à pleurer vraiment fort en disant qu'il fallait pulvériser aussi son tiroir à chaussettes et à culottes.

J'ai dit : « Chut! Tais-toi! Si tu réveilles Papa et Maman, on sera très très mal! »

Bientôt, la bouteille de spray a commencé à faire un drôle de bruit : elle était vide.

J'essayais d'en extraire les dernières gouttes quand soudain la poignée de la porte a *bougé* et la porte de la chambre s'est ouverte lentement.

Immobiles, Brianna et moi avons fixé la porte, puis nous nous sommes regardées.

Qui cela pouvait-il bien être ???!

« Oh non ! LA PETITE FÉE ! » a bégayé Brianna, terrorisée.

Puis elle a couru se réfugier dans les toilettes en claquant la porte derrière elle.

Malheureusement, ce n'était pas la petite fée.

J'aurais préféré...

Non, c'était...

PAPA ET MAMAN !! ☹

Et ils n'avaient pas l'air contents du tout.

J'ai vraiment commencé à flipper quand j'ai vu la paupière droite de mon père trembler.

Je me suis dit que c'était à cause de l'odeur de sardine, de thon et de vinaigre qui régnait dans la pièce.

Et j'ai compris pourquoi mes parents étaient sans doute un peu fâchés.

Il était 2 heures du mat et la chambre de Brianna était complètement en vrac !

Nous avions pulvérisé assez de produit pour enfumer deux petites porcheries puantes et infestées de mouches !

C'est à ce moment-là que je me suis dit que j'avais peut-être un peu exagéré.

Pour couronner le tout, je commençais à avoir la tête qui tournait à cause du spray.

Ou peut-être que je manquais d'oxygène avec ce masque que j'avais porté pendant 15 minutes d'affilée !

Soudain, j'ai songé qu'il fallait cacher le vaporisateur et la mini-raquette de tennis derrière mon dos et prendre un air dégagé.

Du moins, aussi dégagé que possible, sachant que j'étais en pyjama et affublée d'un masque de plongée en plastique bleu...

Mes parents ne bougeaient toujours pas, sous le choc.

Malheureusement, avec ce *tuba*, je parlais et je respirais comme Dark Vador.

Avec un drôle de zozotement en plus.

« Baba, Baban, zalut ! Goi de neuf ? Je zuis dézolée d'avoir mis le *bazar* dans la jambre de Briadda. LUC ?
JE ZUIZ TON BÈRE !!! »

Par chance, Papa et Maman ont apprécié ma plaisanterie.

Alors, j'ai expliqué que j'étais juste en train de tester un spray insecticide / une vinaigrette / un désodorisant maison baptisé Brise de Sardine.

Qu'il s'agissait d'un devoir supplémentaire à faire à la maison.

Pour le prof de gym.

Et que c'était pour mon bien !

Quand Brianna a émergé des toilettes, j'ai cru que c'était mort pour moi. Ils allaient me punir pour toujours si elle révélait notre petit secret.

Mais elle m'a couverte et a raconté à Papa et Maman qu'elle m'avait aidée à fabriquer un produit spécial pour se débarrasser des petites bêtes dans sa chambre.

Heureusement qu'elle n'a pas parlé de cette histoire de petite fée des dents !

Mes parents ont cru qu'il y avait un cafard et ont gobé toute l'histoire.

J'espère juste que Brianna a fini par vaincre sa phobie.

En tout cas, une chose est sûre...

Ce sera vraiment sympa de pouvoir recommencer à dormir sans craindre de me réveiller pour découvrir l'un de mes yeux posé sur mon oreiller et en train de m'*observer*...

BEURK !!! ÇA DOIT ÊTRE SUPER FLIPPANT!

DIMANCHE 27 OCTOBRE

C'est l'aube et je suis tellement fatiguée que j'ai du mal à garder les yeux ouverts.

Mme Hargrove est venue hier soir déposer les masques à peindre pour le spectacle de Brianna, jeudi prochain.

Elle m'a aussi donné un sac-poubelle qui contenait un costume « super mignon ».

Elle a dit que sa nièce l'avait acheté spécialement pour moi, convaincue que les enfants l'adoreraient.

C'est alors que j'ai eu un mauvais pressentiment au sujet de la nièce de Mme Hargrove.

J'ai dit : « Au fait, vous ne m'avez jamais dit comment s'appelle votre nièce... Je la connais sûrement, puisque nous sommes au WCD toutes les deux. »

« Oui, il s'agit d'une de tes copines, Hollister MacKenzie ! Elle m'a raconté que tu avais le casier voisin du sien et que tu étais venue à sa fête d'anniversaire, la semaine dernière ! »

J'ai fait « gloups ». MacKenzie !

L'espace d'une seconde, j'ai cru que j'allais rendre la boulette de viande que j'avais mangée au dîner.

« Euh... oui. On peut dire qu'elle et moi sommes de bonnes... voisines de casier. »

Je me souviens vaguement d'avoir entendu Mackenzie parler d'une certaine tante Clarissa, à la rentrée.

Ma tête me tournait quand j'ai remercié Mme Hargrove avant de me précipiter dans l'escalier pour regagner ma chambre.

POURQUOI MacKenzie est-elle allée raconter à sa tante que j'étais la meilleure artiste de tout le collège ? Pourquoi ???!!

Surtout après avoir comparé mes œuvres à du vomi de caniche.

Et pourquoi a-t-elle suggéré que ce soit moi qui dessine les masques pour la fête d'Halloween du cours de danse??!!

En tout cas, une chose était sûre : il y avait un piège! Un ÉNORME PIÈGE! Et j'étais faite comme un RAT!!!!

Je ne croyais pas si bien dire : dans le sac-poubelle, j'ai découvert le plus horrible costume de rat que j'avais jamais vu.

Et il sentait les aisselles moites, la pizza rance et l'eau de Javel.

J'ai failli gerber.

Ce costume avait dû être la mascotte d'une enseigne de restaurants pour enfants, mais il puait tellement que les clients s'étaient plaints et le directeur l'avait jeté.

Ensuite, après avoir croupi dans une benne à ordures pendant des semaines, il avait été découvert par un gamin accro à iTunes qui l'avait revendu pour 3 $ sur e-Bay pour se payer quelques téléchargements.

MacKenzie l'avait acheté et l'avait donné à sa tante pour qu'elle ME le refile !

Parfois je me demande pourquoi je suis la seule à penser que celle qui occupe le casier voisin du mien est la fille de Lucifer en personne !

En tout cas, j'ai commencé à m'apitoyer sur mon sort...

Pendant que la plupart des collégiens de Westchester prépareraient la fête d'Halloween, je serais scotchée au zoo, déguisée en rat puant pour amuser une bande de petites ballerines gâtées pourries.

La déprime totale ! Rien que d'y penser, j'avais envie de pleurer.

Tout le monde s'éclaterait et moi, je jouerais à cache-cache avec des gamines de 6 ans ! ☹

Ma vie m'apparaissait si lamentable que j'avais envie de...

Soudain, une idée complètement folle m'est venue.

J'ai tenté de toutes mes forces de l'ignorer, dans l'espoir qu'elle se perdrait dans les profondeurs de mon cerveau – si toutefois c'est bien de là que viennent les idées folles.

Mais ensuite je me suis dit : « Pourquoi pas? Qu'est-ce que j'ai à perdre, après tout? »

Je me suis précipitée sur mon ordinateur et j'ai fait une recherche sur toutes les maisons hantées de la région.

Par chance, l'endroit qui m'intéressait était ouvert le dimanche jusqu'à 19 heures.

J'ai appelé et j'ai expliqué ce que je voulais au directeur de l'établissement, qui a approuvé mon plan à condition que j'obtienne l'accord de M. Winston, notre principal.

Vu l'importance de l'enjeu, j'ai mis mon interlocuteur en attente et j'ai appelé M. Winston à son domicile, en espérant pouvoir organiser une « conf call » à trois !

J'ai commencé par m'excuser platement auprès du principal de le déranger chez lui un dimanche soir, puis j'ai expliqué que j'avais un problème urgent à régler avec lui.

En tout cas, il m'a fallu longtemps pour le convaincre qu'il ne s'agissait pas d'un canular et que le directeur de la maison hantée était vraiment au bout du fil et devait lui parler le plus vite possible au sujet de la fête du collège.

En dix minutes, tous les détails ont été réglés et le principal m'a autorisée à poursuivre dans cette voie.

J'étais tellement contente que j'ai commencé à faire ma « danse du bonheur ». UNE FOIS DE PLUS !!!!

Ensuite, j'ai envoyé un SMS à tous les membres du comité d'organisation de la soirée :

SALUT À TOUS,
RENDEZ-VOUS LUNDI MATIN À 7 H
À LA BIBLIOTHÈQUE POUR UNE RÉUNION D'URGENCE!
SOYEZ PRÊTS À FAIRE LA TEUF! ☺
NIKKI

Puis j'ai descendu les marches 4 à 4 pour faire une razzia dans le frigo.

J'ai pris une pilule pour rester éveillée car j'allais avoir besoin de toute mon énergie.

POURQUOI?

Parce que la soirée Halloween de WCD aura bien lieu,
et ma vengeance aussi!

Grâce au pur génie de sa vaillante présidente, à savoir...

... MOI-MÊME, en personne! ☺

Ma nouvelle idée pour la soirée d'Halloween est complètement

OUFFFF !!!

Mais elle se présente à merveille.

OMG ! Il est presque 6 heures du mat et notre réunion commence dans 1 heure.

Vite, une douche et un p'tit déj !

☺

LUNDI 28 OCTOBRE

Je n'ai pas fermé l'œil de la nuit et je suis super crevée.

Mais je suis également TROP MÉGA CONTENTE.

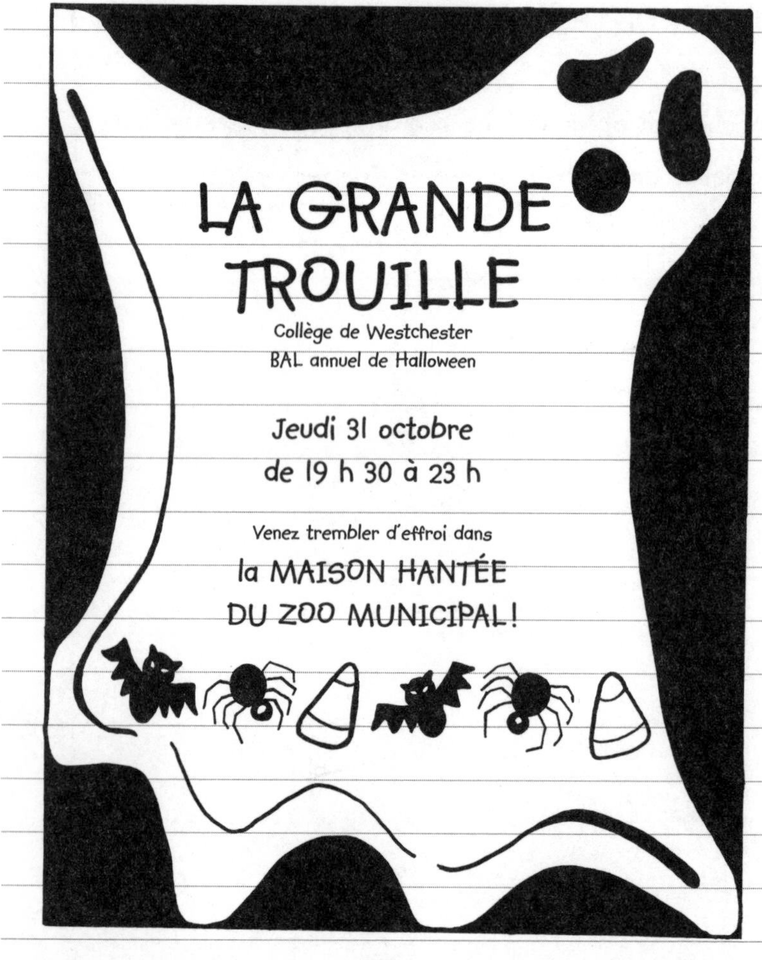

Nous avons placardé cette affiche partout dans le collège et distribué des flyers.

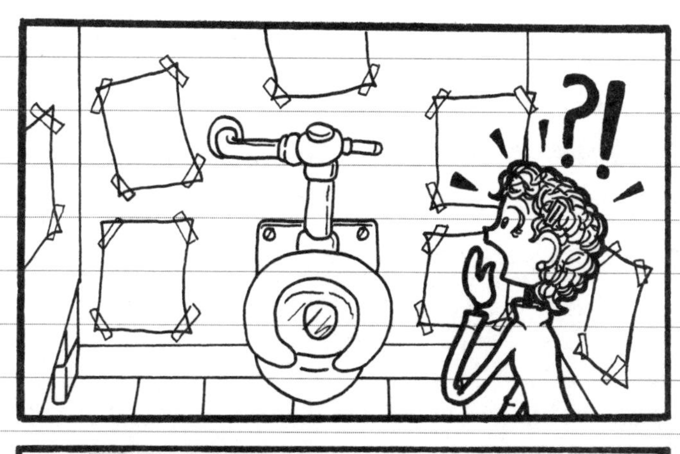
?!

?!

Devoirs :
lire
pag 113
?!

L'annonce fait un buzz énorme au collège. Une soirée qui, soit dit en passant, sera sponsorisée par le zoo municipal de Westchester et se déroulera dans la plus grande maison hantée de la ville ! J'ai déjà entendu « LA GRANDE TROUILLE » un million de fois et ça fait à peine deux heures que le scoop est sorti !

Les élèves sont si nombreux à vouloir aider que j'ai dû mettre à leur disposition une nouvelle feuille d'inscription ! Et puis encore une autre !

Notre réunion de ce matin s'est super bien passée et s'est transformée en une gigantesque séance de brainstorming. Et à la fin, on était 39 dans la bibliothèque !

Zoey a déclaré que le zoo de Westchester était heureux de nous prêter ses locaux et que les préparatifs étaient prévus le jeudi 31 octobre entre 15 et 18 heures.

Chloë, elle, a annoncé que les décorations de Halloween seraient réalisées en cours d'arts plastiques.

Et que les membres du club de maths avaient décidé d'offrir au comité d'organisation deux douzaines de citrouilles dans lesquelles ils découperaient des triangles rectangles, équilatéraux et isocèles pour faire les yeux et la bouche.

Ensuite, Violet a pris la parole. « Je n'ai pas encore réussi à trouver un groupe qui accepte de jouer gratuitement, a-t-elle expliqué. Mais comme j'ai téléchargé 7 427 chansons sur iTunes, je pourrai préparer une playlist et jouer les DJ. »

Théo a ajouté qu'avec quelques membres de sa formation de jazz, il avait fondé un groupe et qu'ils étaient prêts à jouer gracieusement pendant 45 minutes, juste pour voir l'effet que ça fait d'avoir un vrai public.

Quant à Jenny, elle a informé le comité qu'en cours d'EMT, les élèves prépareraient des cookies au chocolat et des cupcakes. Elle a également obtenu des propriétaires du Pizza Palace qu'ils fassent don de boissons, de pizzas et d'ailes de poulet grillées avec toutes sortes de sauces.

Enfin, les membres du club scientifique se sont proposés pour aider à installer et ranger la salle.

Je n'arrivais pas à croire que tout s'organisait aussi bien, comme par magie !

Mais je n'avais pas encore décidé quel costume je porterais pour la soirée.

Zoey et Chloë m'avaient clairement dit qu'elles détestaient mon idée de robe faite avec des sacs-poubelle. Alors j'ai décidé de porter le costume de Juliette que ma mère m'a offert.

Zoey a annoncé que comme elle ressemblait un peu à Beyoncé, elle s'habillerait comme elle. Elle choisira une tenue vue dans le dernier clip de la star et signera des autographes.

Chloë, elle, sera vêtue comme Sasha Silver, l'héroïne de son livre préféré, « Canterwood Crest », qui se passe dans une école d'équitation privée – un peu comme la série « La Clique », mais à cheval. Elle portera une tenue et des bottes d'équitation super chics.

Quant à Brandon, il veut se déguiser en mousquetaire. C'est COOL, non ? J'ai hâte de le voir.

Maintenant que j'y pense, je suis vraiment contente de ne pas porter une robe en sacs-poubelle.

Je serais vraiment gênée que Brandon me voie dans une tenue aussi stupide et aussi gamine.

Au fait, je n'ai pas encore raconté à Chloë et Zoey que Brandon m'avait demandé d'être sa cavalière pendant cette soirée.

Je voulais le leur annoncer la semaine dernière, mais comme la soirée avait été annulée, je me suis dit que ça n'était plus la peine.

Pour être franche, je crois que je préfère garder l'info secrète pour l'instant.

Sans doute parce que j'ai peur que Brandon ne change d'avis pour une raison ou une autre.

Si ça arrivait, je serais si HUMILIÉE que je devrais changer de collège !

Mais je sais que tôt ou tard, je devrai tout révéler à mes MAV.

Alors, plutôt plus TARD !

Maintenant que je dois m'occuper de la soirée du collège, je ne crois pas que j'aurai le temps d'accompagner Brianna dans sa « tournée » pour réclamer des bonbons.

Je suis un peu déçue car je fête Halloween depuis que je suis toute petite, et que j'ai toujours adoré ça !

Sauf l'année où Chucky Reynolds, la racaille du coin, a volé tous les bonbons des enfants du quartier !

Il m'a pris mon panier, à moi aussi ! Pourtant, au lieu de me mettre en colère, j'ai décidé de me venger. Et pour ça, j'ai attendu le Halloween suivant...

Notre voisine avait un potager et j'avais remarqué qu'il y avait un milliard de vers de terre dans son tas de compost. Alors j'ai sonné à sa porte et je lui ai demandé très poliment si je pouvais lui emprunter 2 tasses de vers. Elle m'a regardée comme si j'étais folle, mais elle a accepté.

Évidemment, le soir d'Halloween, j'ai croisé Chucky. Et quand il m'a demandé de lui donner mes *bonbons*, je lui ai *bien* volontiers dit oui !

Mon petit stratagème a fonctionné à merveille, et Chucky Reynolds n'est pas près de voler les bonbons des autres enfants, croyez-moi! ☺

MARDI 29 OCTOBRE

AAAAHHHH !!

Oui, c'est bien MOI qui hurle !

POURQUOI ?

Parce que je ne comprends pas comment j'ai pu me mettre dans une telle galère !!!

AAAAHHHH !!

Oui, c'est ENCORE moi qui hurle !

Je suis dans de SALES DRAPS. TRÈS SALES MÊME !

Juste avant le déjeuner, j'ai reçu un mot de la part de Chloë et Zoey me demandant de les rejoindre dans le local technique.

Elles disaient qu'elles ne pouvaient pas attendre pour me montrer leurs costumes d'Halloween.

Alors, j'ai pensé que ce serait le MOMENT IDÉAL pour leur dire – ENFIN ! – que Brandon m'avait demandé de l'accompagner à la soirée Halloween.

Comme il n'a pas changé d'avis (du moins, pas encore), et que la fête a lieu dans deux jours seulement, j'ai pensé qu'il était temps d'annoncer la bonne nouvelle à mes deux MAV.

C'est ce que j'avais en tête...

Après m'être extasiée sur le costume de Beyoncé de Zoey et sur celui de « Canterwood Crest » de Chloë, je voulais leur parler de MON fabuleux costume de Juliette, et peut-être même les inviter à venir le voir ce soir après les cours.

Ensuite, j'aurais lâché :

Chloë et Zoey auraient été tellement surprises qu'elles auraient commencé à crier et à sauter dans tous les sens.

Cette petite fête se serait conclue par une embrassade générale.

J'étais quasiment certaine que, durant la soirée, Chloë et Zoey auraient insisté pour qu'on se retrouve quelque part afin que je leur raconte les détails les plus croustillants.

Ce qui signifie que j'aurais dû laisser Brandon seul, genre toutes les heures, pour briefer mes MAV !

Voilà le plan PARFAIT que j'avais en tête.

Mais malheureusement, les choses ne se sont pas déroulées comme je l'avais prévu.

Quand je suis entrée dans le local technique, j'ai dit à mes amies que j'avais une *surprise* pour elles, moi aussi.

« OK, toi d'abord ! » ont-elles insisté.

« Non ! Vous ! »

« Pas question ! À toi ! »

« Non ! À vous ! »

Alors, elles ont fini par dire : « D'accord, on commence... »

Ensuite, elles m'ont demandé de fermer les yeux.

« SURPRISE ! Voici nos costumes ! »

Je m'attendais à découvrir une Beyoncé et une cavalière.

Au lieu de ça, quand j'ai ouvert les yeux, j'ai vu trois costumes en sacs-poubelle !

QUELLE SURPRISE !!!

C'étaient exactement les mêmes sacs que ceux que j'avais utilisés pour fabriquer ma première robe, deux semaines plus tôt – une robe que Chloë et Zoey avaient trouvée COMPLÈTEMENT NAZE !

« C'est pas MIGNON, ça ? » a lancé Chloë avec un grand sourire et en agitant les mains.

« J'étais sûre que tu adorerais ! » a pouffé Zoey.

« On s'est dit que comme on ferait toutes les trois tapisserie, à la soirée... », a commencé Chloë.

« ... autant servir à quelque chose ! » a achevé Zoey.

J'ai bégayé : « OMG !! Vous... vous n'auriez pas dû... »

Et je le pensais vraiment.

« Eh bien, comme tu avais l'air de tenir à cette histoire de sacs-poubelle, on ne voulait pas te laisser tomber. Surtout après que tu as accepté d'intégrer l'équipe de nettoyage. Si ça ne tenait qu'à nous, on ne danserait même pas ! » a dit Chloë, la larme à l'œil.

« Oui, on a été un peu égoïstes en choisissant nos costumes. Alors hier, après les cours, on s'est retrouvées chez Chloë et on a travaillé jusqu'à minuit pour fabriquer ces robes. C'est le moins qu'on puisse faire pour te montrer à quel point nous sommes heureuses de t'avoir comme MAV », a dit Zoey en s'essuyant les yeux.

« Oui, une vraie amie, qui ne nous laisse jamais tomber, quoi qu'il arrive ! » a ajouté Chloë.

Ensuite, Chloë et Zoey m'ont serrée contre elles et on s'est embrassées toutes les trois.

« Et toi, qu'est-ce que tu voulais nous dire ? » ont-elles demandé.

Je suis restée plantée là, à les regarder, et je me suis sentie super MAL !

Je n'en revenais pas : elles étaient prêtes à abandonner leurs super-costumes de soirée...

... pour se déguiser en POUBELLES ambulantes !

TOUT ÇA POUR MOI ?!

Je ne méritais pas des amies comme Chloë et Zoey !
Et je me sentais d'autant plus mal à l'aise que je leur cachais
quelque chose, alors que je sais que la véritable amitié
doit être fondée sur la franchise.

Ce qui signifiait que je n'avais pas d'autre choix que
de leur dire la vérité...

Oui, je devais leur révéler que Brandon m'avait proposé
de m'accompagner et que j'avais accepté.

Que j'avais l'intention de passer la soirée avec lui,
et pas avec elles.

Que je voulais me faire belle, romantique, comme Juliette,
et non m'affubler d'un sac-poubelle.

Alors, je l'ai dit.

« Je suis vraiment désolée, les filles, mais je ne PEUX pas porter ce costume ni passer toute la soirée avec vous ! »

Tout d'abord, elles ont eu l'air perplexes et surprises.

« Qu'est-ce que tu veux dire ? » a demandé Chloë.

« Je... je ne comprends pas... » a bégayé Zoey.
Puis leur étonnement a fait place à la souffrance, et elles ont commencé à me regarder fixement, sans rien dire.

Oui, j'aime beaucoup Brandon, et j'avais très très envie de passer la soirée en sa compagnie.

Mais il était HORS DE QUESTION que je fasse ça à mes deux meilleures amies.

Alors je leur ai adressé un grand sourire et j'ai agité mes mains en l'air pour détendre l'atmosphère.

« Euh... ce que je voulais dire, c'est que... Je ne peux pas porter ce costume ou rester avec vous si... SANS quelques accessoires supplémentaires : des gants en caoutchouc jaunes, des perruques délirantes et des lunettes de soleil. Vous voyez ? »

Soulagées, Chloë et Zoey m'ont souri.

« OMG!! On a failli faire une attaque à cause de toi ! »
a lancé Chloë.

« Tu veux des gants en caoutchouc, une perruque et
des lunettes de soleil ? a dit Zoey en fouillant
dans un grand sac. Tiens ! »

J'ai lancé : « Super ! Maintenant, on est fin prêtes pour faire
la TEUF ! » Mais au fond de moi, je me sentais si mal
que j'avais envie de pleurer.

« On va s'éclater comme des OUF ! » a hurlé Zoey.

« J'ai hâte d'y être ! » s'est exclamée Chloë.

Voilà pourquoi, en ce moment, je suis enfermée
dans ma chambre en train de pleurer.

AAAAAHHH !!!

Je pleure surtout parce que la soirée de jeudi pourrait bien tourner au DÉSASTRE complet.

Je suis censée me déguiser en rat et m'occuper des gamines du cours de danse.

Je suis aussi censée porter un costume de Juliette et sortir avec Brandon.

ET je suis censée aller à la soirée Halloween avec Chloë et Zoey, affublée d'un sac-poubelle en guise de robe!

Tout ça en même temps!

Comment j'ai fait pour me fourrer dans une galère pareille?

Bon, il reste une solution...

Je vais appeler Brandon, Chloë, Zoey et Mme Hargrove et leur dire à tous que je serai malade jeudi soir, clouée au lit par une MAUVAISE PESTE BUBONIQUE.

AAAAHHHHHH!!

MERCREDI 30 OCTOBRE

Ce matin, au petit déjeuner, j'étais

COMPLÈTEMENT DÉGOÛTÉE !

Je crois que j'ai perdu l'appétit pour le reste de l'année.

Ma mère a mis mon père au régime la semaine dernière, et il a commencé ses raids nocturnes sur le frigo. Ça se voit car il oublie de ranger après.

Malheureusement, chaque matin, je vois s'il a mangé des cookies et bu du lait pendant la nuit.

Je suis peut-être difficile, mais je n'aime pas trop les céréales avec des blocs de lait tourné !

Si ça continue, je vais être obligée d'en parler à Maman.

Je lui rappellerai que le mariage est fondé sur l'amour mutuel, la confiance et le respect, et qu'elle n'a pas épousé Papa pour sa silhouette.

Mais, surtout, je lui dirai que ce n'est pas parce que Papa essaie péniblement de perdre quelques grammes que je dois manger de la bouffe pourrie !

Enfin, ce que j'en dis...

De toute façon, en ce moment, j'ai l'impression d'être la fille la plus malheureuse de la Terre ! ☹

Je le crois pas : je suis en train de MENTIR à mes amies.

Ou, du moins, de leur cacher des choses importantes, des choses qu'elles devraient savoir.

Je n'ai pas dit à Brandon, à Chloë ou à Zoey que je devais participer à la fête du cours de danse de Brianna.

Je n'ai pas dit à Chloë et Zoey que je serais la cavalière de Brandon pour la soirée.

Et je n'ai pas dit à Brandon que je devais passer la soirée avec mes copines, déguisée en sac-poubelle !

POURQUOI ?

Parce que j'essaie de toutes mes forces de satisfaire tout le monde.

Je ne veux surtout pas décevoir Brandon, Chloë ou Zoey.

Mais si je leur avoue la vérité, ils vont probablement me haïr tous les trois !

À moins que...

PAS QUESTION !

Ça ne marchera JAMAIS !!

En plus, je ne suis PAS un petit rat mesquin et menteur, comme MacKenzie !!

Et pourquoi pas ?

JEUDI 31 OCTOBRE

Ce qui suit sera sans doute l'épisode le plus long jamais relaté dans un journal intime, mais c'est parce que cette soirée a été

VRAIMENT INCROYABLE !

Heureusement qu'il n'y a pas cours demain à cause des réunions parents-professeurs. Je suis COMPLÈTEMENT ÉPUISÉE et j'ai à peine la force d'écrire !

La fête du cours de danse de Brianna a commencé à 19 heures à la ménagerie du zoo.

Par chance, c'était juste à côté de la maison hantée, où avait lieu la soirée du collège.

Maman m'a déposée un quart d'heure à l'avance pour que je puisse mettre mon costume de rat.

Les trous pour les yeux ont dû être faits

pour quelqu'un de plus grand car j'étais trop petite

pour regarder au travers.

Tant bien que mal, j'ai réussi à y voir par les trous de nez, qui étaient énormes.

Il ne me restait plus qu'à maquiller quelques visages, à animer quelques jeux et CIAO TOUT LE MONDE!

La plupart des filles du cours de danse portaient de jolis costumes d'animaux – le thème de la soirée.

Ma sœur Brianna était déguisée en lapin de Pâques. Un lapin de Pâques FOU, plus exactement.

Elle avait rassemblé les autres filles autour d'elle et hurlait à pleins poumons : « Salut! Je suis le vrai lapin de Pâques, en chair et en os! Comme vous avez toutes été très sages, que diriez-vous d'un IMMENSE LAPIN EN CHOCOLAT? »

« OUIIIII! » ont répondu les gamines, tout excitées.

Quand j'ai entendu la suite, je n'en ai pas cru mes oreilles.

C'est certain : ma sœur a de SÉRIEUX problèmes!

Elle ignorait qui était M. le Rat, et j'ai décidé de ne rien lui dire.

Je me suis bien amusée à peindre les visages des filles et à discuter avec elles.

Une licorne m'a fait la liste complète de ce qu'elle voulait pour Noël, comme si j'étais le père Noël en personne.

Ensuite, une mignonne petite sorcière est venue murmurer à ma grande oreille de rat que si elle me surprenait chez elle, en pleine nuit, en train de mordre les orteils de son frère, elle ne dirait rien !

Mais c'était juste au cas où...

En revanche, je crois bien que j'ai traumatisé le mignon petit chat, et je n'en suis pas fière...

Elle a hurlé en me montrant du doigt : « J'ai peur !
Le grand kangourou pue et il a des yeux dans le nez ! »

Encore un coup de Brianna...

Après avoir maquillé tout le monde, j'ai animé plusieurs danses.
Il devait faire au moins 50 °C sous mon costume.

Je me suis sentie soulagée quand Mme Hargrove a demandé aux filles de s'asseoir pour manger de la pizza et boire du jus de fruits.

J'ai décidé de m'accorder une petite pause
et j'ai prévenu Mme Hargrove.

Puis j'ai attrapé mon sac et me suis précipitée dans la salle
de bains. Quel bonheur de quitter ce costume puant !

Je me suis aspergé le visage et les bras d'eau froide
pour me rafraîchir et me calmer.

Mais j'étais si excitée à la perspective de la soirée
qui commençait que mon cœur battait à 100 à l'heure.

En quelques minutes, j'avais revêtu mon costume de Juliette.

J'ai fixé la perruque avec une pince, me suis étalé
trois couches de gloss Super Shiny Kiss aux fruits rouges
avant d'admirer mon reflet dans le miroir.

Il m'a fallu quelques secondes pour surmonter le choc.

J'avais du mal à me reconnaître !

J'ai pris mon sac à l'épaule et je me suis élancée sur l'allée menant à la maison hantée, située près du restaurant du zoo.

Une fois à l'intérieur, j'ai trouvé les toilettes les plus proches et j'ai accroché mon sac derrière la porte de la dernière cabine.

Puis j'ai mis mon loup avant de regagner le couloir et d'entrer dans la salle de bal.

La soirée venait à peine de commencer et pourtant, la salle était bondée. Les décorations et les plats que nous avions apportés étaient superbes !

Et le décor de la maison hantée était plus vrai que nature, avec ses meubles anciens, ses toiles d'araignées et ses sorcières, ses fantômes et autres vampires téléguidés qui surgissaient de boîtes et de placards... Quelle ambiance !

Même déguisée en Juliette, je me sentais plutôt comme Cendrillon, car tout le monde me regardait.

La plupart des CCC me jetaient des regards curieux en chuchotant entre elles.

Le plus bizarre, c'est que personne ne semblait me reconnaître. Quant à Chloë et Zoey, elles étaient en train d'aider Violet à la sono.

Sur la piste, Violet mettait le feu avec des super-tubes ! Elle était déguisée en clown diabolique ou un truc du genre – je n'aurais pas su dire exactement quoi.

Cette fille est un peu bizarre. Mais dans le bon sens du terme...

J'avais hâte de voir Brandon. Quand, enfin, je l'ai repéré, je n'ai pas pu détacher mon regard de lui.

OMG ! Il était si canon dans son costume que j'ai cru que j'allais tomber dans les pommes !

Je pense qu'il a été vraiment
surpris de me découvrir
dans cette tenue, car il a cligné
plusieurs fois des yeux avant
de me regarder franchement.

Nous sommes restés là
à nous fixer pendant ce qui
m'a paru une éternité.

Il a fallu que je dise
« Salut, Brandon »
pour qu'il soit sûr
que c'était bien moi.

Il a chassé une mèche
rebelle de son front,
m'a souri et m'a proposé
de m'asseoir.

« Nikki, tu es...
je veux dire... Ton costume
est vraiment... super cool. »

« Merci, Brandon ; tu n'es pas mal non plus, en moustiquaire ! »

« Tu veux dire... en mousquetaire ? »

« Euh... oui, désolée. »

« Tu veux danser ? »

« Avec plaisir. »

Heureusement, c'était un rock.

Brandon est bon danseur. Et il n'a pas arrêté de faire des blagues qui m'ont fait beaucoup rire.

On s'éclatait tellement bien qu'aucun de nous deux n'a remarqué que le morceau était terminé.

Nous étions sur le point d'aller nous rasseoir quand j'ai vu Chloë et Zoey accourir dans notre direction.

Aïe...

« Écoute, Brandon, il faut que je te laisse quelques instants, d'accord ? »

« Bien sûr. Je t'attends ici. »

« Tu... veux que je te rapporte quelque chose ?
Des ailes de poulet panées ?

« Ça a l'air pas mal. OK pour ça. »

« Tu vas adorer ! Je reviens dans deux minutes ! »

J'ai couru vers la porte.

Et je l'ai atteinte juste à temps.

Quand j'ai jeté un coup d'œil en arrière, j'ai vu Chloë et Zoey en train de parler à Brandon, qui a fait un geste dans ma direction.

J'ai couru comme une dingue jusqu'aux toilettes.

J'ai claqué la porte derrière moi et j'ai enlevé ma robe, ma perruque et tous mes accessoires à toute vitesse, avant de fourrer le tout dans mon sac.

Ensuite, j'ai enfilé le sac-poubelle et j'ai noué les liens de serrage derrière mon cou.

Mes mains tremblaient quand j'ai mis la super-perruque rose, les lunettes de soleil et les gants en caoutchouc.

Enfin.

J'ÉTAIS PRÊTE !

Juste à temps. À la seconde où je sortais des toilettes, Chloë et Zoey y entraient en trombe.

« Salut, Nikki ! On t'attendait. C'est Brandon qui nous a dit que tu étais ici. C'est de la balle, cette teuf, non ? » a débité Chloë, hors d'haleine.

« Je suis si heureuse qu'on ait décidé de garder ces costumes ! Ils sont top ! » a ajouté Zoey en s'admirant devant le miroir.

« Hé, les filles ! C'est l'heure de descendre les poubelles ! » ai-je lancé.

Après une embrassade générale, nous nous sommes élancées dans la salle.

Tout le monde s'éclatait sur la piste de danse, même les profs.

J'ai réussi à éviter le côté de la salle où se trouvait Brandon en priant pour que la foule et les lumières tamisées me dissimulent à son regard.

Pourtant, même s'il m'avait vue, il ne m'aurait pas reconnue. Il ne s'attendait pas à me trouver dans cette tenue, et en plus, mon visage était presque entièrement caché derrière les lunettes de soleil et la perruque afro.

Avec Chloë et Zoey, on s'est éclatées comme des oufs !

Mais je commençais à m'inquiéter : ça faisait trop longtemps que j'avais quitté la fête de Brianna et de ses amies du cours de danse.

« Écoutez, les filles, je viens de croiser Brandon et je l'ai convaincu de goûter à nos fameuses ailes de poulet panées et à notre punch maison. Je voulais lui faire une assiette, mais on vient juste de me demander d'aller porter des papiers au bureau du zoo. Vous pouvez vous en charger à ma place et dire à Brandon que je suis allée faire une course ? »

« Bien sûr ! » a répondu Chloë en se dirigeant vers le buffet.

« Attends, je viens avec toi ! » m'a crié Zoey.

Comme elle s'apprêtait à me suivre, j'ai paniqué.

J'ai presque crié : « Non, Zoey, tu ne peux pas !! »

Elle s'est arrêtée et m'a regardée, étonnée par ma réaction.

J'ai plaqué un sourire de circonstance sur mon visage
et j'ai tenté de garder mon sang-froid.

« Euh... ce que je voulais dire, c'est que... NON, tu ne peux pas
manquer une seule minute de cette super-teuf ! Je reviens
tout de suite, OK ? »

« OK ! » a répondu Zoey en haussant les épaules.

Dès qu'elle a été hors de ma vue, je me suis précipitée
vers les toilettes.

J'ai couru jusqu'à la dernière cabine, j'ai enfilé de nouveau
mon drôle de costume puant et je suis retournée à la fête
de Brianna.

J'étais super inquiète parce que j'avais fait
une très longue pause pipi.

Mais le timing était parfait. Les filles venaient tout juste de finir leurs glaces Délice de sorcière et leurs cookies Spécial Ver de terre & Bouillasse.

« Ah, vous voilà ! »

Mme Hargrove s'est avancée vers moi et a tenté de croiser mon regard à travers la narine gauche de mon costume de rat.

« Je crois qu'elles sont prêtes pour un nouveau jeu », a-t-elle murmuré.

J'ai levé le pouce en l'air en signe d'assentiment.

Mais je n'étais pas aussi enthousiaste que j'en avais l'air.

On a joué à Jacques a dit et à chat perché, et les filles ont adoré.

Ensuite, un animateur est venu les chercher pour leur faire visiter la ménagerie.

Pour profiter de la demi-heure qui suivait, j'ai dit à Mme Hargrove que j'avais très chaud dans mon costume de rat et que j'allais sortir un moment pour me rafraîchir.

J'ai attrapé mon sac, j'ai couru vers les toilettes et j'ai remis ma robe de Juliette.

Trois minutes plus tard, j'étais de retour à la soirée du collège, et j'ai rejoint Brandon.

« Hé, tu es revenue » ! s'est-il exclamé avec un sourire qui aurait pu éclairer la salle entière.

« Désolée, j'avais quelques petites choses à faire ! Je suis vraiment nulle comme cavalière ! »

« Non, ça ne fait rien, vraiment. Je me doutais que tu serais pas mal occupée ce soir. »

« Merci... »

Soudain, le silence s'est fait entre nous et je me suis contentée de le regarder, un sourire idiot aux lèvres.

J'ai commencé à avoir des papillons dans l'estomac.

Alors, j'ai décidé d'essayer de dire quelque chose de drôle et d'intelligent.

« Au fait, ces ailes de poulet panées, tu les as trouvées comment ? »

« Euh... pas mal. »

« Je savais que tu les aimerais ! »

« Ah, je devais avertir Chloë et Zoey quand tu reviendrais. Je leur envoie un texto... »

« Tu sais quoi ?! J'ai super faim ! Je crois que je vais aller nous en chercher une autre assiette, d'accord ? Je reviens tout de suite. »

« Attends ! Je viens av... »

Mais j'avais disparu avant qu'il ait fini sa phrase.

Chloë et Zoey avaient rejoint Brandon à l'instant où j'ai atteint la porte.

Une nouvelle fois, j'ai couru jusqu'aux toilettes et suis allée me changer dans la dernière cabine.

Sac-poubelle, gants de caoutchouc, lunettes de soleil et... tête de rat !

NON ! Je me trompais de fête !

C'est la perruque rose qu'il me fallait.

J'ai essayé de me calmer.

Mais l'idée que Chloë et Zoey puissent venir me chercher jusqu'ici et surgir à tout moment me faisait flipper grave.

J'ai renfilé mon sac-poubelle. J'étais en train de me servir au buffet quand Chloë et Zoey m'ont interpellée.

« Ah, tu es là, Nikki ! »

« Brandon nous a dit que tu étais partie chercher des ailes de poulet. »

« Oui, elles sont super bonnes ! Vous voulez vous asseoir où, les filles ? »

« Brandon a dit qu'on pouvait s'installer à sa table. Il y a encore de la place. »

J'ai avalé péniblement ma salive.

« À SA TABLE ! Euh... pourquoi pas ? Allez-y, je vous rejoins. Il faut que j'aille... aux toilettes. À tout de suite, d'accord ? »

Soudain, je me suis rappelé que j'avais dans la main une assiette pour Brandon. Comme il n'était pas question qu'il me voie dans cette tenue, j'ai demandé à Chloë et Zoey de m'aider.

Et je me suis enfuie aussi vite que j'ai pu.

C'était impossible : je ne pouvais pas m'asseoir avec eux trois.

Que faire ?!

Le pire, c'est qu'il ne me restait que deux minutes pour rejoindre la fête de Brianna !

J'ai couru jusqu'aux toilettes, j'ai sauté dans mon costume de rat et j'ai regagné la ménagerie.

Je suis arrivée pile au moment où la visite se terminait.

Mme Hargrove m'a tendu une boîte pleine de petits cadeaux et m'a lancé en me regardant à travers la narine de mon costume : « Une fois que vous aurez distribué tout ça aux filles, vous pourrez partir. »

ENFIN !!!

Je n'en revenais pas : mon plan de ouf avait fonctionné !

Comme la fête touchait à sa fin, les parents attendaient à la porte pour récupérer leurs enfants.

J'ai décidé de clore cette fête sur une note d'humour.

« Au revoir, les filles ! J'espère que vous vous êtes bien amusées avec M. le Rat ! Il est temps pour moi d'aller à Disney World pour rendre visite à mon cousin Mickey ! Salut à tous ! »

Toutes les filles m'ont saluée. Certaines avaient l'air un peu tristes de me voir partir.

Je courais déjà vers la porte quand j'ai entendu Brianna crier : « Hé, monsieur le Rat, je peux venir avec toi ? »

« Moi aussi, je veux venir ! » a ajouté la petite fille qui avait tenté de me convaincre de venir chez elle pour mordre les orteils de son frère.

Bientôt, j'étais entourée d'une bande de gamines qui me suppliaient de les laisser m'accompagner.

« Je suis vraiment désolée, les filles. Une autre fois, d'accord ? »

Au moment où je me retournais pour partir, j'ai compris qu'il y avait une légère complication...

Tout ça à cause de cette petite peste de Brianna !

Mais pourquoi ça m'arrivait à moi ?

« Je ne te lâcherai pas la queue jusqu'à ce que tu promettes de nous emmener avec toi ! » hurla Brianna.

Il fallait réfléchir, et vite !

Mon costume commençait à me démanger sérieusement et Brianna refusait de lâcher ma queue.

Chloë, Zoey et Brandon devaient se demander où j'étais passée !

« Écoutez, j'ai une idée ! Fermez toutes les yeux et faites un vœu. Puis comptez jusqu'à 10. Quand vous rouvrirez les yeux, votre vœu sera exaucé ! D'accord ? »

Toutes les filles ont sauté de joie et commencé à crier « OUI !!!!! »

Mais Brianna refusait d'abandonner :
« Hé, monsieur le Rat ! Mon vœu, ce serait que tu m'emmènes avec toi à Disney World pour rendre visite à ton cousin Mickey ! »

Je ne l'ai pas dit mais j'ai pensé très fort : « Brianna ! Laisse tomber, OK ? »

« Maintenant, fermez les yeux et commencez à compter, d'accord ? Un, deux... »

Toutes les filles ont obéi : « Trois, quatre... »

J'ai attrapé mon sac et l'ai jeté sur l'épaule.

« Cinq, six... »

J'ai ouvert la porte de derrière...

« Sept, huit... » Et j'ai couru comme si ma vie en dépendait.

Je ne me suis arrêtée que lorsque j'ai été en sécurité, à l'intérieur de la maison hantée.

Je me sentais coupable d'avoir quitté la fête de Brianna comme ça, mais je n'avais vraiment pas le choix.

Même si c'était pour la bonne cause, tous ces allers et retours étaient épuisants.

La fête serait terminée dans moins de deux heures et j'avais bien l'intention d'en profiter au maximum.

C'est pourquoi j'ai décidé de laisser tomber mes costumes pour m'éclater avec Chloë, Zoey et Brandon, et d'être simplement moi-même.

Il ne me restait plus qu'à échanger mon costume de rat contre mon jean et mon sweat préférés.

Mais dès que je suis entrée dans les toilettes des filles, je me suis heurtée à un obstacle de taille :

HOLLISTER MACKENZIE !

Elle était déguisée en vampire super chic. Debout devant le miroir, elle était occupée à s'appliquer une couche de gloss Rouge Sang pour Sang Sensation.

J'ai cru que j'allais avoir une attaque.

Mais j'étais surtout surprise et choquée qu'elle ose venir à la soirée après toutes ses tentatives pour saboter notre travail.

Après tout, MacKenzie était capable de faire n'importe quoi à n'importe qui pour obtenir ce qu'elle voulait.

Et je ne doutais pas un instant qu'elle ferait tout ce qui était en son pouvoir pour me POURRIR la soirée.

Mais j'avais vraiment besoin de me changer et c'étaient les seules toilettes pour filles de tout le bâtiment.

Alors j'ai décidé de la jouer cool et d'entrer dans une cabine.

J'ai prié pour qu'elle ne reconnaisse pas mon costume – ou plutôt, SON costume, vu que c'était elle qui l'avait acheté.

Je venais de poser la main sur la poignée de la porte quand soudain, MacKenzie s'est retournée et m'a regardée.

Je me suis figée instantanément. Puis, comme si on ne se connaissait pas, j'ai hoché gentiment la tête et lui ai adressé un petit salut de la main.

Ses lèvres bien dessinées ont formé une moue quand elle a plissé les yeux pour m'examiner.

J'ai commencé à suer à grosses gouttes.

« Beurk ! C'est quoi, cette horrible odeur ? »

Je n'osais pas dire un mot de crainte qu'elle ne reconnaisse ma voix.

Je me suis contentée de renifler chacune de mes aisselles et d'agiter mes mains en dessous.

Puis j'ai écarté les bras et haussé les épaules comme pour m'excuser.

Elle a levé les yeux au ciel, s'est retournée vers le miroir et a continué à se maquiller.

MERCI MON DIEU ! Je ne savais pas trop si mes petites singeries l'avaient ennuyée ou dégoûtée, mais j'étais vraiment contente que cette petite ruse ait fonctionné !

Alors je suis entrée dans la cabine, j'ai laissé tomber mon sac par terre, j'ai claqué la porte et fermé le verrou avant de m'adosser contre le battant avec un soupir de soulagement.

Je l'avais échappé belle !

Pourtant, j'étais un peu étonnée que MacKenzie n'ait pas reconnu l'odeur nauséabonde ou la fourrure toute chiffonnée de mon costume.

J'ai retiré la tête de rat et l'ai posée par terre. J'avais hâte de me débarrasser aussi du costume trop chaud qui me grattait pour le rapporter chez moi et le brûler dans la cheminée.

Quel bonheur ça allait être d'enfiler mon jean, mon sweat et mes baskets !

C'est alors que j'ai entendu des pas s'approcher. Avant que j'aie le temps de comprendre ce qui se passait, une main manucurée aux ongles peints de Rouge Vengeance Intense se glissait sous ma porte et s'emparait de mon sac.

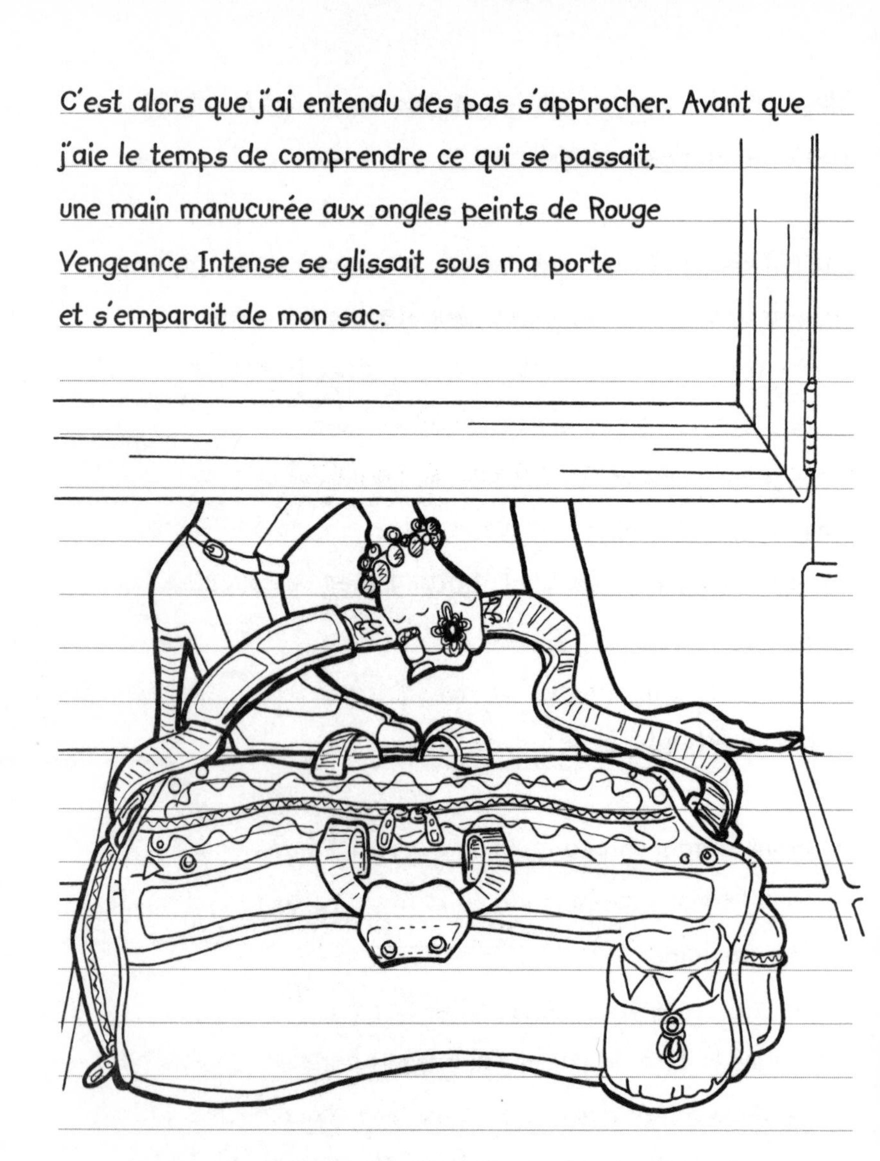

J'ai attrapé une anse et j'ai tiré de toutes mes forces. Malheureusement, j'ai dû glisser sur la tête de rat car j'ai perdu l'équilibre.

Je suis tombée en arrière et me suis cogné la tête
sur le carrelage des toilettes.

AÏE !!!! Au-dessus de moi, le plafond a commencé à tourner
comme un manège. J'ai fermé les yeux.

Je me suis redressée pour me masser la nuque. La douleur
a cessé rapidement, et par chance, je n'avais pas de bosse.

Je me suis mise debout, j'ai actionné le verrou et je suis sortie.

Comme je le craignais, le sac qui contenait tous mes vêtements
et mes effets personnels avait disparu.

Avec MacKenzie.

J'étais certaine qu'elle n'était pas allée très loin.
Je la trouverais sûrement dans le couloir...

Mais je me doutais que s'en prendre à une camarade
de classe dans le cadre d'une fête me vaudrait une sanction
immédiate et pourrait même m'empêcher d'intégrer
une bonne université après le bac.

On n'est jamais trop prudent. J'ai entendu dire que certains collèges étaient intransigeants avec ces choses-là.

Comment était-ce possible que ce genre de mésaventure m'arrive, à moi ! J'étais si furieuse que j'aurais voulu crier, mais j'en étais incapable.

MacKenzie venait de me voler mes vêtements, c'était la soirée Halloween du collège et j'étais bloquée dans les toilettes, vêtue d'un costume de rat puant, alors que Brandon, mon amour secret, m'attendait pour danser !

POURVU, POURVU, POURVU que tout ça ne soit qu'un mauvais rêve, et que je me réveille, confortablement allongée dans mon lit, avec mon pyjama préféré, celui avec des cœurs ! Mais non, il s'agissait du PIRE cauchemar de tous les temps !

Mais je ne me réveillais pas. Ce qui signifiait que tout ça était vrai. ☹

Alors, comme n'importe quelle fille normale dans ma situation, j'ai paniqué. J'avais super mal au ventre et les jambes en coton.

Si seulement j'avais acheté un nouveau portable au lieu de cette robe ridicule que j'ai portée pour la fête de MacKenzie ! J'aurais pu appeler ma mère pour lui demander de m'apporter des vêtements.

J'ai fini par fermer les yeux et par prendre trois grandes inspirations pour me calmer. J'en avais vraiment *besoin*.

Ensuite, je me suis assise sur la lunette des toilettes pour tenter de trouver une solution à mon problème.

Ce problème étant qu'il me fallait à tout prix récupérer mon sac.

En attendant, j'avais deux solutions : sortir de là en sous-vêtements ou en costume de rat.

C'était vraiment une décision délicate.

Finalement, j'ai opté pour le costume de rat, parce qu'il présentait un avantage de taille : quand les élèves du WCD verraient un rat puant et galeux...

1. POURSUIVRE MACKENZIE...

2. LUI ARRACHER LE SAC...

3. ET LA SECOUER JUSQU'À CE QU'ELLE DEVIENNE TOUTE BLEUE ET TOMBE DANS LES POMMES...

Ils n'imagineraient pas un seul instant que ça puisse être moi !!

Sans hésiter, j'ai enfilé la tête de rat et suis partie comme une fusée en direction de la fête.

Quand je suis entrée dans la salle, deux élèves de cinquième déguisés en Klingons m'ont regardée d'un air dégoûté.

« Beurk !!! C'est quoi, cette puanteur ?! »

« Je ne sais pas ce que c'est, mais je peux te dire que ça m'a brûlé tous les poils du nez ! »

Je me suis contentée de leur faire un petit salut amical.

En me frayant un chemin à travers la foule, j'ai repéré un endroit près du mur d'où je voyais toute la pièce pour tenter de localiser MacKenzie et, accessoirement, mon sac.

J'aurais dû savoir où la trouver !

Elle s'était installée près de Brandon et le draguait en enroulant négligemment une mèche de cheveux autour de son doigt. Quant à lui, il avait l'air de s'ennuyer et faisait de son mieux pour l'ignorer – tout en se demandant sans doute où j'avais pu passer !
Pauvre Brandon !

Eurêka ! Soudain, j'ai aperçu mon sac sur une chaise libre, à côté de MacKenzie !

Lentement, j'ai remonté la longue rangée de tables au bout de laquelle Brandon et MacKenzie étaient assis.
Et j'ai profité d'un instant où personne ne regardait dans ma direction pour plonger sous la table.

C'était un peu dégoûtant de ramper par terre, mais il fallait ABSOLUMENT que je récupère mon sac.

MacKenzie était si occupée avec Brandon que je n'ai eu aucun problème à m'emparer de mon sac. Même si je lui avais volé sa robe, elle n'aurait rien remarqué.

Comme j'étais contente d'avoir retrouvé mon sac !

Dans quelques instants, j'allais reprendre ma place auprès de Brandon. Je plongerais les yeux dans ses yeux rêveurs et je m'éclaterais avec Chloë et Zoey.

Ou peut-être que non !

Comme j'approchais de la porte, j'ai remarqué un attroupement.

La plupart des élèves étaient rassemblés en demi-cercle et regardaient quelque chose. Je ne savais pas quoi.

Tout le monde riait en montrant un truc du doigt et, très vite, la musique s'est arrêtée et les lumières se sont rallumées.

En tant que présidente de la soirée, il fallait que je sache ce qui se passait.

Je n'ai pas tardé à REGRETTER ma curiosité.

« Hé, regardez ! Voilà M. le Rat ! Nous l'avons retrouvé ! » hurlait Brianna, folle de joie, en s'accrochant à moi.

En l'espace de quelques secondes, toutes les filles du cours de danse se sont ruées sur moi pour m'embrasser.

J'ai eu une attaque cardiaque, là, sur la piste de danse !

Je n'arrivais pas à croire que ces petites pestes m'avaient suivie jusqu'ici.

M. Winston et quelques adultes, tout près de moi, avaient l'air très inquiets.

Ils se demandaient sûrement d'où venaient tous ces enfants et ce qu'ils faisaient à la fête du collège.

Je me suis avancée vers le principal et l'ai regardé à travers ma narine gauche.

« Euh... Monsieur Winston, je peux tout vous expliquer... »

Je n'ai pas pu en dire plus, car Mme Hargrove suivie de mes parents et de ceux des autres fillettes ont fait irruption dans la salle.

Et ils n'avaient PAS l'air contents.

Soudain, le ton a commencé à monter car les parents, affolés, parlaient tous en même temps. Ils voulaient savoir pourquoi le principal avait autorisé des enfants de six ans à participer à une soirée réservée à des collégiens.

Quant à M. Winston, il était lui aussi très énervé et demandait pourquoi ces parents avaient laissé leurs jeunes enfants perturber la fête de ses collégiens.

Au bout d'un moment, le principal a prié Violet de lui passer le micro.

« Écoutez-moi, et gardez votre calme. Tous les enfants sont sains et saufs et ont retrouvé leurs parents. Mais quelqu'un peut-il nous expliquer comment ils sont arrivés jusqu'ici ? »

C'est là que MacKenzie a levé la main.

M. Winston s'est avancé dans sa direction et lui a tendu le micro. Mais avant de dire quoi que ce soit, elle s'est appliqué une nouvelle couche de gloss.

OMG ! Quelle vanité !

« Bonsoir, tout le monde. Je sais ce qui s'est passé, et je crois qu'il est de mon devoir de m'assurer que chacun connaisse la vérité... »

Au fond de moi, j'étais soulagée que MacKenzie se charge de tout expliquer. Au moins, je n'aurais pas à le faire !

« Le RAT ! Tout est SA faute ! C'est lui le responsable ! » s'est-elle écriée en me montrant du doigt.

Immédiatement, toute la salle s'est tournée vers moi. Même si j'étais super gênée, personne ne savait qui j'étais – du moins, pas encore...

Je n'aurais jamais cru pouvoir me réjouir de porter cette tête de rat.

Soudain, Mackenzie s'est approchée et me l'a arrachée !

« Tout est la faute de NIKKI MAXWELL ! Et je crois qu'elle nous doit des explications pour avoir mis la vie de ces pauvres enfants innocents en danger et GÂCHÉ notre soirée HALLOWEEN ! »

J'étais si HUMILIÉE que j'aurais voulu MOURIR ! En plus, j'avais l'impression que mes cheveux étaient dressés tout droit sur ma tête !

C'est alors que MacKenzie m'a mis le micro dans la main avec un regard entendu en direction du principal, avant de croiser les bras et de me fixer avec son petit sourire méchant.

Je ne savais ni quoi dire ni par où commencer.

Chloë, Zoey et Brandon s'étaient frayé un chemin jusqu'à moi, mais, hélas, ça ne m'aidait pas beaucoup.

Debout à quelques pas de moi, ils se chuchotaient des choses, l'air à la fois surpris et accablé.

J'ai baissé les yeux au sol et poussé un long soupir. Le silence qui régnait dans la salle était si profond qu'on aurait pu entendre une mouche voler.

M. Winston s'est éclairci la gorge. « Alors, mademoiselle Maxwell, nous attendons... »

« Euh... Comme j'avais accepté de participer à la fête du cours de danse AVANT d'être élue présidente du comité d'organisation de la soirée Halloween, j'ai juste essayé de faire les deux en même temps. Ce qui, à la réflexion, n'était peut-être pas une bonne idée. Ce qui est certain, c'est que les filles du cours de danse m'ont suivie jusqu'ici. Je suis vraiment, vraiment désolée pour cet incident... »

Quand j'ai regardé l'assistance, tout le monde avait les yeux fixés sur moi – le principal, les copains du collège, les profs, les parents, les filles du cours de danse, et même ma famille.

Je me sentais vraiment TRÈS MAL d'avoir gâché la soirée de TOUS CES GENS !!!

J'ai rendu le micro à M. Winston et je suis partie en courant.

Je ne savais pas où j'allais, mais il fallait que je sorte de cette salle.

Chloë et Zoey m'ont rattrapée dans le hall.

« Hé, Nikki, attends ! Qu'est-ce qui se passe ? » a demandé Chloë.

« Oui, qu'est-ce que tu fais avec ce costume de rat ? Et où est ta robe en sacs-poubelle ? » a ajouté Zoey.

Avant que j'aie pu répondre, Brandon est apparu.

« Je me demandais où tu étais passée. Pourquoi as-tu enlevé ta robe de Juliette ? »

Chloë et Zoey ont regardé Brandon, puis se sont tournées vers moi.

« Une robe de Juliette ? Quelle robe de Juliette ? Tu t'es déguisée en Juliette ? » a bégayé Chloë.

« Mais enfin, OÙ est ta robe en sacs-poubelle ? » a insisté Zoey, qui avait l'air complètement perdue.

J'ai fixé le sol sans rien dire.

« Alors comme ça, a lancé Chloë en croisant les bras, tu as passé la soirée à jongler entre trois costumes différents ? Pourquoi as-tu essayé de nous tromper ? »

« Si tu ne voulais pas passer la soirée avec nous, il suffisait de nous le dire », a souligné Zoey, visiblement peinée.

Brandon devait se sentir très mal pour moi, car il m'a défendue : « Tout est ma faute. C'est moi qui l'ai invitée à m'accompagner à cette soirée. Je ne savais pas qu'elle était censée la passer avec vous, les filles. »

Sous le choc, Chloë et Zoey se sont retournées et ont crié à l'unisson : « BRANDON T'A INVITÉE À LA SOIRÉE ! »

J'étais moi-même surprise du chaos que j'avais provoqué. « Écoutez, tout ce que je peux dire, c'est que je suis désolée. Sincèrement désolée ! »

Je me suis tournée vers Chloë et Zoey pour ajouter : « Après ce qui s'était passé avec Jason et Ryan, je n'ai pas eu le courage de vous parler de l'invitation de Brandon. Je savais à quel point cette soirée comptait pour vous, et je VOULAIS vraiment vous aider, les filles... »

Ensuite, j'ai regardé Brandon : « Peut-être que j'aurais dû refuser de t'accompagner à cette soirée, parce que j'avais trop de choses à faire. Je devais déjà donner un coup de main à la fête du cours de danse et, en même temps, je voulais rester avec Chloë et Zoey. J'ai pensé que j'arriverais à être partout en même temps, mais je me rends compte que ce n'était pas cool vis-à-vis de toi... »

Chloë, Zoey et Brandon m'ont regardée longtemps sans rien dire.

Je ne leur en voulais pas d'être en colère contre moi. Je l'étais moi-même.

J'étais la PIRE amie du monde !

Les larmes aux yeux, j'ai tourné les talons et me suis précipitée vers la sortie.

Une fois dehors, la première chose que j'ai faite a été de jeter la tête de rat dans un buisson.

JE DÉTESTAIS ce truc !

J'ai repéré un banc, un peu plus loin, et je m'y suis laissée tomber, désespérée.

J'ai levé les yeux vers la pleine lune. À part les sons étouffés des animaux du zoo et le bruissement des feuilles dans les arbres, la nuit était calme.

Ça m'a fait du bien de prendre l'air frais, même si je me sentais super mal.

J'avais l'impression que, quoi que je fasse pour réussir quelque chose, ça tournait toujours à la catastrophe.

J'avais vraiment la méga-LOOSE ! ☹

J'ai reniflé en essuyant mes larmes.

Soudain, alors que je me croyais seule, j'ai entendu une voix, toute proche.

« Je peux m'asseoir à côté de toi ? »

En me retournant, j'ai découvert Brandon. Il est venu près de moi, sur le banc.

« J'avais juste besoin de prendre l'air, ai-je expliqué pour lui faire croire que je n'avais pas pleuré. Je suis RÉELLEMENT désolée d'avoir tout gâché... »

« Quoi ? Mais tu n'as rien gâché, voyons... »

« Ah bon ? Et notre rendez-vous ? La soirée Halloween. Et la fête du cours de danse... »

« En fait, cette soirée avec toi a été... excitante. Oui, c'est le mot, excitante. »

« Aussi excitante que de se faire soigner une carie. »

« Arrête ! Nous avons quand même dansé ensemble grâce à toi, non ? »

« Oui, tu as raison. »

« Et les gamines de la danse t'aiment tellement qu'elles t'ont suivie jusqu'ici. »

« Effectivement, vu comme ça... »

« En tout cas, si je suis ici, c'est pour te délivrer un message important. »

Comme si je n'avais pas reçu assez de mauvaises nouvelles comme ça ! J'avais déjà gâché deux fêtes dans la soirée. J'avais une énorme boule dans la gorge et j'ai cru que j'allais me remettre à pleurer.

J'ai dit d'un air triste : « Oui, je m'y attendais. De la part de Winston, c'est ça ? »

« Non. »

« De mes parents, alors ? Ils vont probablement me punir jusqu'à mes dix-huit ans. »

« Non, de la part d'un ami. »

« Parce que j'ai encore des amis ? Après tout ça, je suis sûre que Chloë et Zoey ne voudront plus être vues en ma compagnie. »

De nouveau, j'ai essuyé une larme qui coulait sur ma joue.

« C'est un très bon ami à toi, qui a hâte de te parler. »

Je me suis retournée pour scruter l'obscurité et j'ai demandé :
« Où ça ? Je ne vois personne. »

« Ferme les yeux et je lui dirai de se montrer. »

« Quoi ? »

« Allez, ferme les yeux ! Il est un peu timide. »

J'ai obéi.

« Interdit de tricher ! »

« Je ne triche pas ! » ai-je menti.

« D'accord, tu peux ouvrir les yeux. »

J'ai fait ce qu'il me demandait et je n'ai pas pu m'empêcher d'éclater de rire.

Alors, il a pris une voix haut perchée et s'est lancé dans une terrible imitation de Mickey : « Excuse-moi, je cherche mon amie la souris. Tu ne l'aurais pas vue, par hasard ? ». Il a ri de sa propre blague.

J'ai joué le jeu.

« Non, je ne l'ai pas vue. Désolée ! »

« Tu sais, je l'aime bien. Elle est sympa. J'aurais bien voulu passer un peu plus de temps avec elle. Tu lui diras si tu la vois ? »

« Bien sûr ! ai-je répondu en partant d'un grand fou rire. Si je la vois, je lui dirai. »

« Merci. »

« De rien ! »

Nous avons ri si fort qu'on en avait mal au ventre.

Brandon avait vraiment un humour d'enfer. Et rien ne semblait l'affecter.

Ça me plaisait vraiment *beaucoup*, chez lui.

Il a enlevé la tête de rat et me l'a tendue.

« Ça t'appartient, je crois. »

« Oui, malheureusement », ai-je répondu en fourrant la tête sous mon bras.

« Je peux te poser une question... indiscrète ? »

D'un seul coup, l'humeur de Brandon semblait avoir changé, et il m'a regardée d'un air super sérieux.

J'ai hésité un instant. Je n'avais aucune idée de ce qu'il allait me dire.

« Oui, bien sûr. »

« Pourquoi est-ce que ce truc pue autant ? Beurk !!!! »

Il a plissé le nez et a froncé les sourcils, et nous avons éclaté de rire une fois encore.

Ensemble, nous avons regagné la salle. Chloë et Zoey nous attendaient à l'entrée.

Elles avaient toutes les deux l'air un peu fâchées et je savais qu'elles allaient me jeter. Je le méritais.

« Nikki, pourquoi tu ne nous as pas dit que Brandon t'avait demandé d'être sa cavalière pour la soirée ? » a commencé Chloë.

« Oui, on t'aurait aidée pour la fête du cours de danse, et tu aurais pu passer toute la soirée avec lui ! » a ajouté Zoey.

« Nous sommes tes MAV. J'arrive pas à croire que tu n'acceptes pas notre aide », a conclu Chloë en me regardant d'un air triste.

J'avais la gorge serrée et du mal à retenir mes larmes. Comment pouvaient-elles être fâchées que je n'aie PAS sollicité leur aide ?

« Vous avez raison, ai-je répondu. J'aurais dû vous le dire. Mais je ne voulais pas vous ennuyer avec tous mes problèmes. »

« Mais enfin, Nikki, t'es folle ou quoi ? C'est la chose la plus débile que tu aies jamais dite ! »

Zoey en a rajouté : « C'est bien vrai. Tu dois manquer d'oxygène à force de porter cette tête de rat car tu DÉLIRES complètement ! »

Je n'en croyais pas mes oreilles. Chloë et Zoey étaient les meilleures amies que j'aie JAMAIS eues !

Elles se sont approchées de moi et m'ont serrée très fort dans leurs bras.

« On te pardonne. Mais si JAMAIS tu recommences, je te forcerai à écouter en entier un CD de Jennifer ! » a dit Chloë.

« Et ça dure deux heures ! » renchérit Zoey.

J'ai éclaté de rire : « Je trouve ça un peu trop sévère, comme punition. Mais je ne recommencerai jamais, c'est promis ! »

« Au fait, ces gamines t'adorent ! plaisanta Chloë. Elles veulent que M. le Rat revienne pour la fête de l'année prochaine ! »

Tout excitée, Zoey a ajouté : « Et tu sais quoi ? Chloë a trouvé un petit souvenir de toi à leur distribuer. »

« Oui, j'ai eu l'idée en lisant La Vie secrète d'un organisateur de fêtes de jeunes, a expliqué Chloë, mais je vais avoir besoin de l'aide de Brandon et Zoey. »

J'ai trouvé son idée géniale. Ça a pris du temps, mais Brandon a réussi à prendre une super-photo avec le nouveau BlackBerry de Chloë, tandis que Zoey était occupée à noter les adresses mail de chacune des filles du cours de danse.

Ensuite, grâce à Chloë et à ses doigts super rapides, tout le monde a eu la surprise, en rentrant chez soi, de découvrir un mail dans sa messagerie.

Je suis sûre que les filles ont adoré.

Brandon est vraiment top comme photographe ! ☺

Même si, en théorie, il restait une heure et demie, tout le monde a compris que la fête était terminée.

Nous attendions tous l'annonce officielle.

M. Winston et ses conseillers ont discuté quelques minutes, puis sont allés murmurer quelque chose à l'oreille de Violet.

Violet a hoché la tête et s'est emparée du micro.

« Je vous demande une minute d'attention, s'il vous plaît. J'ai une annonce à faire à la demande de M. Winston. Il a tout à fait conscience que l'heure de nous quitter n'est pas venue. Cependant, il me demande de vous informer qu'en raison de perturbations inattendues, nous nous voyons dans l'obligation de vous dire...

QUE LA FÊTE COMMENCE !!!! »

La seconde moitié de la soirée Halloween a été plus top encore que la première.

J'ai failli péter les plombs quand MacKenzie est venue me voir pour me dire que cette soirée était une réussite – et que c'était grâce à moi et à mes talents et à mon action de présidente. Évidemment, elle a insisté pour que je la remercie publiquement car, selon elle, rien de tout ça n'aurait pu avoir lieu si elle n'avait pas démissionné.

Parfois, j'ai l'impression que son addiction sévère au gloss lui a grillé les neurones. Cette fille est d'une incroyable VANITÉ !!!

Ensuite, quand je lui ai demandé si elle était venue avec quelqu'un, elle a carrément MENTI.

Elle a commencé à me raconter que son mec était le chanteur du groupe qui devait bientôt entrer en scène, mais que comme il serait occupé pendant toute la soirée, elle resterait avec sa MAV, Jessica – qui sortait elle aussi avec un mec du groupe.

J'étais vraiment choquée que deux membres du CCC aussi respectés que MacKenzie et Jessica fassent le coup du « mec musicien ».

C'est lamentable, non ?

En tout cas, le chanteur, Théodore Swagmire III, a été ravi d'apprendre que MacKenzie se faisait passer pour sa copine. En effet, il voulait lui demander de sortir avec lui mais il n'osait pas, craignant de se faire jeter.

Quand les slows ont commencé et que Brandon m'a invitée à danser, j'ai cru que j'allais MOURIR !

C'était TROP romantique !

OMG ! J'avais tant de papillons dans l'estomac que j'ai cru que j'allais devoir attraper le petit sac Dolce & Gabanna de MacKenzie à 600 $ pour vomir dedans.

Mais la plus grande surprise de la soirée est que Brandon et moi avons été élus « Plus beau couple » de la soirée par... mes MAV Chloë et Zoey !

Ce qui est un peu bizarre parce qu'à ce stade, nous n'étions encore que deux amis qui apprennent à mieux se connaître.

Ce n'est pas comme si nous étions un « VRAI » couple, tout de même.

Du moins, je ne le pense pas.

À moins que LUI le pense, mais en fait je n'en sais rien.

Disons que je suis presque sûre qu'il ne le pense pas.

À moins que je me trompe !

OMG!!! Et si je me TROMP...?

Peut-être qu'il me kiffe vraiment et pense que nous sommes ensemble?

Le problème, c'est que je n'en sais RIEN!

Attends....

Je devrais pourtant être la PREMIÈRE à le savoir!

Non?

HÉLAS...

JE SUIS QU'UNE NOUILLE!!! ☺